丛书纵览

新编文史笔记丛书

萧乾 主编

第四辑

50

中華書局

目录

序 ………………………………… 萧 乾
前 言 ………………………………… 编 者 1

《新编文史笔记丛书》人名索引

编 例 ………………………………… 5
书名代号表 ………………………………… 7
姓氏笔画检字表 ………………………………… 9
人名索引 ………………………………… 17

报刊评论

一套别出心裁的好丛书 ………… 王子野 145
读萧乾主编的《新编文史笔记丛书》
………………………………… 严 秀 149
笔记小品的继往开来之作
——读《新编文史笔记丛书》… 梦 梅 153
一套史料真内容新的好丛书
——夸夸《新编文史笔记丛书》 符家钦 155
我爱读笔记 ………………………… 舒 湮 159

新编文史笔记丛书

序

萧　乾

读书界向来对野史有所偏爱。野史大多是信手拈来的历史片断,且往往出自亲历者之手。文直事核,不虚美,不隐恶,而文笔潇洒自如,意味隽永,自然朴实,篇幅不长;可以摊开来仔细咀嚼,也可供茶余酒后、行旅倥偬中,随手浏览。

鲁迅在《华盖集》中,曾几次对野史表示过好感。在《忽然想到》一文中写道:"历史上都写着中国的灵魂,指示着将来的命运,只因为涂饰太厚,废话太多,所以很不容易察出底细来。正如通过密叶投射在莓苔上面的月光,只看见点

点碎影。但如看野史和杂记,可更容易了然了,因为他们究竟不必太摆史官的架子。”又在同书《这个与那个》一文中说:“野史和杂说自然也免不了有讹传,挟恩怨,但看往事却可以较分明,因为它究竟不像正史那样地装腔作势。”

全国文史研究馆所编的《新编文史笔记》丛书,内容也属野史杂说的范畴。我们希望这些以亲闻、亲见、亲历为主的轶事掌故、琐闻杂记,写人、事而摒除误会曲解,述历史而符合真实面目。

作为一种短隽有味,文字清奇而又雅俗共赏的文学体裁,笔记在中国具有悠久的传统。它始自魏晋,盛行于宋代。南朝刘义庆的《世说新语》,北宋沈括的《梦溪笔谈》,南宋陆游的《老学庵笔记》,明朝张岱的《陶庵梦忆》,清朝纪昀的《阅微草堂笔记》以及20世纪30年代初丰子恺的《缘缘堂随笔》,都是文学史上的奇葩。然而,近年来笔记乏人问津。因此,我们出这一套书,也包含着挽回颓势之意。

全国三十二所文史研究馆拥有雄厚的稿源,两千多位馆员和各馆联系的社会人士,都是丛书的撰稿人。他们都是文史界的耆宿,见多识广,阅历丰富:有的反对过帝制,有的在“五四”运动中扛过大旗,他们目睹过军阀的横行霸道,也经历过艰苦卓绝的八年抗战。这些历尽沧桑的饱学之士,他们的所见所闻,都是弥足珍贵的史料。

本丛书分辑出版，分别由各地文史研究馆编辑，内容亦以本乡本土为主。因此，各册势必具有浓厚的地方色彩。

本着笔记固有的传统，所收各文题材不嫌庞杂。举凡与文史有关的政治、经济、军事、文化、社会等方面，或记闻见杂事，或叙往昔交游，或忆社会百态，均在搜罗之列。时间跨度则自清末以迄1949年为止。这正是中华民族从闭关自守到走向世界，从落后羸弱到奋发图强，是天翻地覆、风起云涌的大半个世纪。其间，发生过多少可歌可泣的事迹，涌现过多少杰出的人物。以这一时间跨度为背景题材写出的笔记作品，必然是内容最为丰厚的。

在选稿标准上，我们坚持史料一定要真，内容要新；既要防止以讹传讹，也力避炒冷饭。在写法上务求短小精悍、生动活泼。每篇以千字为度，希望借此在文风方面，提倡一下简约。在版式上，则想做到既利于阅读，又便于携带。

恳切希望文史界方家及广大读者，不吝赐正。

前　言

《新编文史笔记丛书》是上海书店近年来出版的重点图书之一。丛书的篇幅不算很大，约五百万字，但它的作者之众多（近四千人），动员力量之广泛（除青海、西藏外，中央和各省市文史研究馆的领导、馆员都参与其事），以这样多的人力共同来编辑、出版一套丛书，在出版史上是并不多见的。

编辑、出版《新编文史笔记丛书》的意义，其一是它继承和发扬了"笔记"这一种我国固有的文学传统、文学样式。笔记的特点是随手笔录，不拘一格，夹叙夹议，短小活泼，历来受到读者的欢迎。近数十年来笔记文学创作趋于衰落，现

在有这样一批笔记问世，诚如主编者所言，它可能起到挽回颓势的作用。但现在这套笔记与古代笔记又有所不同，古代笔记多为文人名士个人之作，新编文史笔记则出于众人之手。笔记的作者既有文坛巨宿、文史高手，更多的则是各行各业的老人，他们根据亲见、亲闻、亲历之事，随手记录。作品中既有一批文笔精妙之作，更多的却是以内容真切、叙事朴实见长。

其二是新编文史笔记积累、保存了一大批具有相当价值的文史资料，可以作为正史之补充。笔记所写内容，大都为我国近百年史事。其中有政坛逸闻，官场百态，革命史迹，文人雅事，以及宗教民族、工商经济、风物掌故等等。虽是一鳞半爪，却可以从小见大，可以说是我国近现代社会的缩影，是一部近现代野史大观。

从 1840 年鸦片战争到 1949 年新中国建立这一百多年，是我国社会大变动时期，其中经历了太平天国革命、义和团运动、戊戌变法、辛亥革命、抗日战争、解放战争等。笔记从一人一事、一个侧面，反映了这许多大事件，写出了当时官场的黑暗，统治者的残暴，民众的悲苦，志士的抗争。尤其是在民族危亡关头，一大批仁人志士，发扬民族大义，宁死不屈，以他们的行为甚至生命谱写了一幕幕可歌可泣、可悲可叹的活剧。古人云：前事不忘，后事之师。读史可以鉴古而知今。阅读本书，无疑可以增广见闻，启迪智慧，发人深思，开卷有益。因此当本书第一辑出版之后，立即受到了很多读者、专家的好评，并

由中国图书评论学会组织读者评议，获得了第七届中国图书奖的荣誉，这并不是偶然的。

在《新编文史笔记丛书》即将出齐的时候，我们提议编辑一本“人名索引”作为丛书的附册。此议立即得到了丛书主编者的同意。《新编文史笔记丛书》共收笔记六千余篇，所涉及的人物十分广泛。上至清朝皇帝太后、民国军政要人、各党派领袖、各民族上层人物，下至三教九流、普通百姓，几近万人。阅读本书者大多是随意浏览，并无一定目的，但也会有一些有心人，需要找寻一些人物史事，这就要有一本“人名索引”以供检索。现在编制的这本“人名索引”，并不是丛书涉及的全部人名，原则上一篇文章只收主要当事者一人或二人。因此难免有许多重要人物未被收录，这是要请读者谅解的。

现在题名为《丛书综览》的这本小册子，共包含有以下几方面内容：一是丛书主要人名索引；二是部分报刊评论；三是丛书副主编、上海市文史馆馆长王国忠先生所写的《编后絮语》，这是对丛书编辑、出版经过的回顾。

最后我们还要向读者预告：新编文史笔记还将出版一本精选本，以供未能见到全书或没有时间和精力阅读全书的读者参考，敬请注意。

编　者

1994年7月

编　例

一、本索引是为《新编文史笔记丛书》编制的人名索引，主要供检索该丛书所述及的人物史事之用。

二、本索引采用四角号码检字法编排人名次序；不熟悉此检字法的读者可先查姓氏笔画检字表。

三、本索引为节省篇幅，原则上每篇文章只收录主要当事者一人；如遇另一人也是主要当事者，或虽非主要当事者而系重要历史人物者，也予以收录。

四、本索引收录人名原则上为常用名或文章中所用人名，为便于检索，也酌录别名字号以

供参见。清代皇帝按习惯称谓以年号为主目，其本名列为参见条目。

五、本索引人名后面括号内之数字为所录书名代号，括号后之“图”字为该书插图、数字为该书页码。一人见于数篇文章的，皆按书名代号、页码次序列于其后。

书名代号表

第一辑

[1]粤海挥麈录　（广东）
[2]八桂香屑录　（广西）
[3]海上春秋　（上海）
[4]津门史缀　（天津）
[5]穹庐谭故　（内蒙）
[6]巴蜀述闻　（四川）
[7]京华风物　（北京）
[8]秦中旧事　（陕西）
[9]中州轶闻　（河南）
[10]两浙轶事　（浙江）
[11]潇湘絮语　（湖南）
[12]闽海过帆　（福建）

第二辑

[13]沽上艺文　（天津）
[14]滇云片羽　（云南）
[15]耆年话沧桑　（北京）
[16]陇史掇遗　（甘肃）
[17]风雨长安　（西安）
[18]三吴风采　（江苏）
[19]鸡林采珍　（吉林）
[20]黔故谈荟　（贵州）
[21]孤山拾零　（浙江）
[22]楚天笔荟　（湖北）
[23]黑土金沙录　（黑龙江）
[24]昆仑采玉录　（新疆）

第三辑

[25]史迹文踪　（中央）
[26]山左鸿爪　（山东）
[27]桂海遗珠　（广西）
[28]朔漠前尘　（内蒙）
[29]辽海鹤鸣　（辽宁）
[30]陇原鸿迹　（甘肃）
[31]豫章史撷　（江西）
[32]江淮轶闻　（安徽）
[33]江汉采风　（武汉）
[34]三秦轶事　（陕西）

[35]中州钩沉（河南）
[36]陪都星云录（重庆）

第四辑

[37]海岱寻踪（山东）
[38]岭峤拾遗（广东）
[39]汾晋遗珠（山西）
[40]羊城撷采（广州）
[41]沪滨掠影（上海）
[42]津沽旧事（天津）
[43]云岭拾穗（云南）
[44]益州集粹（四川）
[45]宁夏述闻（宁夏）
[46]沈鸿缀羽（沈阳）
[47]巴渝故实录（重庆）
[48]衡岳漫话（湖南）
[49]黑水十三篇（黑龙江）

姓氏笔画检字表

二画

丁 1020_0
九 4001_7
乃 1722_7
刁 1712_0
力 4002_7
了 1720_7

三画

三 1010_1
于 1040_0
土 4010_0
大 4080_0
万 1022_7
才 4020_0
山 2277_0
亿 2721_0
千 2040_0
卫 1710_2
小 9000_0
马 1712_7

四画

扎 5201_0
元 1021_2
云 1073_2
天 1080_4
井 5500_0
瓦 1071_7
王 1010_4
车 4050_0
丰 5000_0
韦 5002_7
太 4003_0
犬 4380_0
尤 4301_2
戈 5300_0
区 7171_4
中 5000_6
内 4022_7
仇 2421_7
毛 2071_4
牛 2500_0
升 2440_0
长 4273_0
乌 2712_7
月 7722_0
凤 7721_0
卞 0023_0
文 0040_0
方 0022_7
心 3300_0
邓 1742_7
孔 1241_0
尹 1750_7
巴 7771_7
水 1290_0

五画

艾 4440_0

平 1040_9
正 1010_1
古 4060_0
甘 4477_0
东 4090_4
厉 7122_7
石 1060_2
左 4010_2
龙 4301_4
归 2707_0
叶 6400_0
卢 2120_7
卡 2123_1
史 5000_6
冉 5044_7
印 7772_0
丘 7210_2
白 2600_0
包 2771_2
鸟 2712_7
乐 7290_4
冯 3712_7
汉 3714_0
宁 3020_1
闪 3780_0
弘 1223_0

奴 4744_0
皮 4024_7
尼 7721_2
司 1762_0

六画

权 4794_0
吉 4060_1
老 4471_2
考 4402_7
达 3430_8
成 5320_0
毕 2240_1
尧 5021_2
匡 7171_1
贞 2180_2
师 2102_7
光 9021_2
刚 7220_0
吕 6060_0
同 7722_0
曲 5560_0
廷 1240_1
乔 2022_8
朱 2590_0

伍 2121_2
伏 2328_4
任 2221_4
伦 2821_2
伊 2720_7
华 2440_1
向 2722_0
邬 2712_7
多 2720_7
刘 0240_0
齐 0022_4
衣 0073_2
庄 0021_4
庆 0028_4
冰 3219_0
羊 8050_1
江 3111_2
汲 3714_7
池 3411_2
汤 3712_7
安 3040_4
关 8080_4
米 9090_4
许 3874_0
祁 3722_7
那 1752_7

阮	7121_2
阳	7620_0
如	4640_0
牟	2350_0
孙	1940_0
纪	2711_7

七画

麦	5040_7
寿	5034_0
戒	5340_0
进	3530_0
杜	4491_0
杨	4792_7
贡	1080_2
芙	4480_5
花	4421_4
芳	4422_7
芦	4420_7
苏	4433_0
李	4040_7
严	1020_1
巫	1010_8
还	3130_9
扶	5508_0
把	5701_7
连	3430_5
肖	9022_7
别	6240_0
吴	6080_4
岑	2220_7
利	2290_0
何	2122_0
佐	2421_2
但	2621_0
伯	2620_2
佟	2723_3
佛	2522_7
邱	7712_7
余	8090_4
谷	8060_8
乎	2040_7
鸠	4702_7
狄	4928_0
邹	2712_7
言	0060_1
辛	0040_1
应	0021_9
况	3611_2
冷	3813_2
汪	3111_4
沙	3912_0
沅	3711_7
沈	3411_2
完	3021_2
宋	3090_4
补	3320_0
启	3026_7
张	1223_4
陆	7527_0
阿	7122_0
陈	7429_4
邵	1762_0
努	4742_9
部	2762_7

八画

武	1314_0
坦	4611_0
林	4499_0
苗	4460_0
英	4480_5
范	4411_2
茅	4422_2
郁	4722_7
奇	4062_1

拓 5106_2
担 5601_0
招 5706_2
欧 7778_2
肯 2122_7
虎 2121_7
尚 9022_7
帕 4620_2
旺 6101_4
明 6702_0
易 6022_7
罗 6020_7
国 6010_3
图 6030_3
果 6090_4
和 2690_0
季 2040_7
竺 8810_1
依 2023_2
岳 7277_2
金 8010_9
周 7722_0
庞 0021_4
冼 3411_2
净 3715_7
油 3516_0

泽 3715_4
郑 8782_7
宝 3010_3
定 3080_1
诚 3375_0
郎 3772_7
居 7726_4
屈 7727_2
孟 1710_2
贯 7780_2

九画

珍 1812_2
项 1118_2
柯 4192_0
柏 4690_2
柳 4792_0
胡 4762_0
郝 4722_7
南 4022_7
草 4440_6
荀 4462_7
茹 4446_0
荣 4490_4
查 4010_6

赵 4480_0
奎 4010_4
咸 5320_0
哈 6806_1
映 6508_0
贻 7386_0
冒 6060_0
贵 5080_2
秋 2998_0
钟 8570_6
钮 8771_2
保 2629_4
侯 2728_4
顺 2108_2
段 7744_7
禹 2022_7
俞 8022_1
饶 8571_2
施 0821_2
奕 0080_4
恒 9101_6
恽 9705_4
洪 3418_1
派 3213_2
觉 9021_2
宣 3010_6

宫　3060_6
姜　8040_4
祝　3621_2
扁　3022_7
费　5580_2
姚　4241_3
贺　4680_2
骆　1716_4
逊　3930_0

十画

班　1111_4
敖　5824_0
秦　5090_4
泰　5090_9
桂　4491_4
格　4796_4
耿　1948_0
都　4762_7
真　4080_1
索　4090_3
袁　4073_2
莫　4480_4
聂　1044_7
栗　1090_4
贾　1080_2
载　4355_0
顾　7128_2
夏　1040_7
原　7129_6
柴　2290_4
党　9021_2
晓　6501_2
晏　6040_4
特　2454_1
钰　8171_3
钱　8375_0
铃　8873_2
倪　2721_2
徐　2829_4
殷　2724_7
翁　8012_7
爱　2040_7
郭　0742_7
高　0022_7
栾　0090_4
席　0022_7
唐　0026_5
凌　3414_7
海　3815_7
宾　3080_1
容　3060_8
诸　3476_0
谈　3978_9
陶　7722_0
姬　4141_2
能　2221_2

十一画

堵　4416_0
梅　4895_7
乾　4841_7
萧　4422_7
萨　4420_1
黄　4480_6
曹　5560_6
龚　4380_1
盛　5310_2
雪　1017_7
虚　2121_2
常　9022_7
蛇　5311_2
鄂　6722_7
崔　2221_5
符　8824_3
悉　2033_9

猛 4721_2
商 0022_7
章 0040_6
康 0029_9
鹿 0021_2
麻 0029_4
阎 3777_7
盖 8010_2
寇 3021_4
密 3077_2
渠 3190_4
梁 3390_4
谌 3471_8
尉 7420_0
屠 7726_4
婉 4341_2
续 2418_4
绵 2612_7
绿 2719_9

十二画

琼 1019_6
塔 4416_1
棍 4691_2
敬 4864_0
韩 4542_7
斯 4282_1
彭 4212_2
葛 4472_7
董 4410_5
蒋 4414_2
喜 4060_1
覃 1040_6
粟 1090_4
森 4099_4
喻 6802_1
景 6090_6
黑 6033_1
嵇 2397_2
程 2691_4
智 8660_0
傅 2324_2
储 2426_0
焦 2033_1
舒 8762_2
鲁 2760_1
童 0010_5
湛 3411_8
温 3611_2
游 3814_7
曾 8060_6
善 8060_1
富 3060_6
谢 3470_0
裕 3826_8

十三画

瑚 1712_0
楼 4994_4
赖 5798_2
靳 4252_1
蒯 4220_0
鄢 1732_7
蓝 4410_2
蒲 4412_7
蒙 4423_2
楚 4480_1
雷 1060_1
虞 2128_4
裘 4373_2
路 6716_4
嵩 2222_7
锡 8672_7
筱 8824_8
简 8822_7
解 2725_2

鲍 2711_2
詹 2726_1
新 0292_1
雍 0021_5
意 0033_6
廉 0023_7
满 3412_7
溥 3314_2
溶 3316_8
慈 8033_3
窦 3080_4
褚 3426_0

十四画

嘉 4046_1
慕 4433_8
蔡 4490_1
臧 2325_0
裴 1173_2
嘎 6105_3
毓 8071_2
管 8877_7
僧 2826_6
鲜 2815_1
端 0212_7
廖 0022_2
阚 3744_8
漆 3419_9
赛 3080_2
谭 3174_6
福 3126_6
翟 1721_5
熊 2233_1
缪 2712_2

十五画

慧 5533_7
增 4816_6
醉 1064_8
暴 6090_9
黎 2790_9
德 2423_1
樊 4480_4
滕 7929_9
颜 0128_2
潘 3216_9
额 3168_2
翦 8012_7

十六画

薛 4474_1
薄 4414_2
燕 4433_1
霍 1021_5
穆 2692_2
赞 2480_2
衡 2122_1
懒 9708_2

十七画

檀 4091_6
鞠 4752_0
戴 4385_0
魏 2641_3
蹇 3080_1

十八画

瞿 6621_5

十九画

麒 0428_1

人名索引

0010_5 童

00 童文琴 〔47〕12

33 童心传 〔31〕121

60 童曼秋 〔13〕58,59

88 童第德 〔21〕42

童第周 〔49〕17

0021_2 鹿

44 鹿地亘 〔19〕63 〔20〕50,51

0021_4 庄

40 庄士敦 〔19〕83－85

44 庄考文 〔12〕136,137

庄荫棠 〔13〕57,58

庞

00 庞庆振 〔9〕18

44 庞薰琹 〔41〕60

91 庞炳勋 〔9〕148

0021_5 雍

88 雍竹君 〔33〕135,136

0021_9 应

10 应云卫 〔8〕19,20 〔44〕75

21 应占武 〔47〕112

52 应授天 〔13〕19－21,23

0022_2 廖

02 廖新学 〔14〕77

17 廖承志 〔31〕33－35

20 廖季平 〔44〕173

24 廖侠怀 〔40〕122－124

25 廖仲恺 〔4〕6,7 〔19〕10－13

30 廖安邦 〔37〕37,38

廖容标 〔26〕21,22

32 廖　冰　〔36〕84
40 廖大可　〔31〕109,110
57 廖静秋　〔47〕110
60 廖恩焘　〔1〕44,46

0022_4 齐

12 齐飞卿　〔16〕45,46,142
26 齐白石　〔2〕35,47〔7〕77〔11〕76,77,83〔15〕49,51,58,94,95,175,196〔22〕129〔25〕84,88,89,91－94,138〔33〕80－83,127,128〔34〕121,122,129〔35〕67,69〔38〕17〔39〕99,100〔48〕80,81
40 齐真如　〔35〕28,77,78,84
齐东野　〔23〕16,17
50 齐寿山　〔42〕121,122
63 齐默特色木丕勒　〔28〕112
70 齐璧亭　〔13〕87,92
99 齐燮元　〔42〕26

0022_7 方

13 方瑁德　〔25〕151
22 方鼎英　〔48〕55,56,132
方伯谦　〔12〕25,26
27 方　殷　〔6〕67
方尔谦　〔13〕24
方叔章　〔48〕20,21,31,32
29 方秋苇　〔3〕35,36
37 方淑荣　〔46〕30,31
方　闻　〔39〕69,73,75,93
40 方声洞　〔12〕77,78〔38〕6
方七娘　〔12〕186
44 方其道　〔31〕92,93
方树梅　〔43〕16,17,58,169
50 方惠汉　〔11〕187
51 方振武　〔5〕37
57 方　絜　〔21〕72
60 方国瑜　〔43〕175
67 方昭媛(小飞燕)　〔2〕86
80 方令孺　〔26〕149－151
90 方觉慧　〔9〕17

高

00 高应美　〔43〕107
高庆奎　〔7〕86,87,116

高文翰 〔39〕177,182
10 高一涵 〔30〕43,86
高二适 〔18〕148,149
高　三 〔16〕168
高三奎 〔3〕100,101
高正山 〔12〕181
高玉柱 〔43〕36
高醇芳 〔36〕27,28
高云峰 〔9〕177
17 高君宇 〔7〕8,9 〔15〕17,18,196 〔39〕118,119,264
21 高步瀛 〔26〕81,82 〔42〕65
24 高德辉 〔8〕11,12
27 高仰慰 〔39〕129,130
31 高语罕 〔32〕78,79,92 〔40〕42
35 高清孝 〔4〕72
36 高渭泉 〔41〕172,173
37 高问华 〔14〕78
高朗亭 〔32〕117,119
38 高瀚湘 〔34〕36,37
40 高士龙 〔8〕11,12
高培支 〔17〕59,60,69
高志航 〔10〕78,79 〔46〕63-65
高奇峰 〔1〕54,55,60 〔40〕88-90
42 高长虹 〔39〕123-126,129
44 高梦旦 〔12〕67,68
高树勋 〔8〕10 〔17〕64
50 高中第 〔45〕118,119
高青庵 〔33〕143
高寿林 〔33〕83-85
53 高成儒 〔23〕194,195
57 高邦佐 〔39〕231
60 高景纯 〔2〕161
71 高顾氏 〔35〕188-190
77 高欣荣 〔33〕181
高凤铃 〔39〕181
高双成 〔17〕33,34
80 高金城 〔30〕37,38
高毓澎 〔13〕44 〔42〕127
82 高剑父 〔1〕15,16,52,55,60,76 〔2〕47 〔40〕46
84 高镇五 〔35〕99
86 高　智 〔12〕136
88 高竹秋 〔43〕66,67,71
91 高炳之郎 〔23〕65

席

37 席涤尘 〔41〕36

商

10 商　震 〔5〕70 〔9〕17,112 〔29〕10 〔35〕18－20,37

21 商衍鎏 〔19〕143

商衍瀛 〔19〕143

0023_0 卞

26 卞白眉 〔4〕91－93,97,98,120

90 卞小吾 〔47〕13,14

0023_7 廉

40 廉南湖(廉泉) 〔41〕99

0026_5 唐

00 唐文治 〔4〕62 〔18〕37,64－67,151,168 〔39〕59

07 唐韵笙 〔46〕144－147,151

10 唐万寿 〔30〕121

唐醉石 〔22〕144

18 唐群英 〔11〕16

25 唐生智 〔3〕8 〔11〕62－64,179

27 唐绍仪 〔1〕110,111 〔29〕11 〔38〕48,51,138

唐仰杜 〔26〕57,101 〔37〕14

28 唐徽典 〔48〕165,171,172

29 唐继尧 〔7〕46,47 〔9〕121 〔11〕58 〔14〕5,22－25,29,31,38,57,102,112 〔23〕39 〔25〕122 〔43〕2,7,10,24,25,27,62,64,67,87,94,166－169,171

40 唐圭璋 〔18〕96－98,100 〔36〕80

唐才质 〔48〕44－46

唐才常 〔11〕37,96,97 〔32〕31

44 唐世丞 〔47〕75,76,115

48 唐敬宇 〔37〕154

60 唐景崧 〔27〕96,97

唐景阳 〔49〕140,143,144

67 唐鄂生 〔20〕8

90 唐少卿 〔6〕52

0028_4 庆

30 庆　宽 〔29〕148

0029_4 麻

20 麻秉钧 〔29〕156

47 麻九渊 〔28〕99,100

0029_9 康

00 康广仁(幼博) 〔1〕35

21 康绰卿 〔33〕184

22 康崇公 〔35〕129

25 康仲荦 〔40〕11,12

33 康心之 〔36〕3,4

康心如 〔47〕62

34 康达多尔济 〔5〕10

37 康　泽 〔12〕13,14〔36〕23,39〔41〕156

40 康克勤 〔17〕129

康有为 〔1〕12,28,29,34,35,58,109,178〔2〕65,165〔3〕66－68,71,75,76,128〔4〕26,27,62,73〔6〕14〔7〕53－55〔8〕11,99,100〔9〕6,27,55,56,98〔10〕7,8〔11〕31〔12〕20,75,122〔15〕56,73,79〔17〕166〔18〕151〔19〕106〔21〕3,4,47,107,108〔25〕2,4,114〔26〕25,26,53〔29〕89,152,153〔34〕92,132〔35〕10－12,57,58,93,124〔37〕7,8,91〔40〕29,76－78,142,143,180〔48〕7,15,44,59

44 康芷林 〔47〕105－109

50 康尧衢 〔13〕165

77 康熙(玄烨) 〔21〕98,100〔22〕62〔23〕155－157,163,168－170,187〔24〕5,150,151〔25〕38,126,169,170

0033_6 意

77 意　周 〔10〕132

0040_0 文

10 文天祥 〔31〕35,140

12 文廷式 〔31〕161－163

22 文　山 〔39〕114－116

52 文哲珲 〔5〕67

57 文静一 〔19〕57

0040_1 辛

30 辛之奭 〔47〕119

37 辛汉文 〔15〕63

44 辛树帜 〔30〕109,111,112

71 辛际周 〔31〕72,89

0040_6 章

00 章衣萍 〔32〕5,6

17 章乃器 〔1〕57 〔5〕20－22

26 章伯钧 〔19〕19－21

30 章宗祥 〔16〕85 〔18〕30,31

37 章鸿钊 〔22〕132

章　泯 〔6〕112

40 章太炎 见章炳麟

章士钊 〔7〕2,52,151,152 〔10〕49 〔23〕81,83,106 〔25〕9－13,40,135 〔47〕34 〔48〕12,25,26,53

64 章叶频 〔5〕103－105

91 章炳麟（章太炎） 〔2〕2 〔3〕124 〔8〕105 〔9〕97,98 〔14〕71 〔17〕131 〔19〕10 〔20〕18 〔22〕107,124 〔25〕7 〔30〕106,107 〔39〕59,61 〔40〕69 〔41〕50,109,118

0060_1 言

44 言菊朋 〔3〕98

55 言慧珠 〔3〕86 〔49〕158

0073_2 衣

10 衣正明 〔37〕148

0080_4 奕

36 奕　谖 〔4〕84 〔15〕168

0090_4 栾

37 栾调甫 〔26〕114

60 栾　星 〔9〕55,66,67

0128_2 颜

00 颜文樑 〔41〕57,167

30 颜永京 〔3〕21
37 颜鸿都 〔30〕120
40 颜杰礼(蕴山) 〔6〕165
42 颜 楷 〔6〕123,175
44 颜世清 〔19〕45
50 颜惠庆 〔3〕17,21

0212$_7$ 端

00 端 方 〔6〕78 〔8〕32,80,91 〔18〕117,121,155 〔38〕26,51,115 〔41〕74
40 端木蕻良 〔2〕80,81,83,85,188

0240$_0$ 刘

00 刘文玠 〔21〕96-98
刘文典 〔14〕50,59,60
刘文辉 〔6〕31,41,44,46,47,104,106,156
07 刘歆生 〔33〕171,172
10 刘三戒 〔7〕135
刘玉岭 〔37〕149
刘玉春 〔33〕24,26,27
刘雪庵 〔36〕134,135
刘雨村 〔14〕60
刘震寰 〔45〕38-40
刘震东 〔37〕115,116
刘霞仙 〔48〕177
刘开渠 〔41〕65,66
刘天佑 〔28〕154,155
刘天华 〔36〕80,89,93-95
刘天成 〔47〕17,18
11 刘 斐 〔33〕54,55
12 刘北茂 〔36〕89,90
刘廷琛 〔25〕120
刘廷恕 〔6〕40,41
15 刘建绪 〔12〕10-12
刘建生 〔23〕77,78
17 刘卫石 〔30〕181,182
刘孟伉 〔6〕26
刘乃沂 〔42〕159,160
刘子久 〔42〕84,85
刘子通 〔22〕51,52
20 刘 重 〔11〕193,194
刘维桢 〔22〕1,2
刘季平 〔18〕56,57
刘航琛 〔47〕62-65
刘秉璋 〔47〕5,6
21 刘止庸 〔13〕49

刘师亮 〔47〕94
刘师培 〔10〕97 〔15〕35 〔22〕90,91 〔38〕26 〔41〕120
刘师复 〔38〕25
刘步蟾 〔12〕25
22 刘山农(青) 〔3〕76
23 刘允丞 〔17〕4,17
24 刘先登 〔22〕94,95
刘德洛 〔34〕45
刘华东 〔38〕57,58
刘魁武 〔7〕137
刘 峙 〔9〕17,36,120,140,141 〔10〕9 〔33〕65 〔35〕83,85,168,169 〔36〕22
26 刘伯承 〔8〕8,14 〔47〕32,33,43－45,66,77
刘伯泉 〔9〕45,87
刘保瑞 〔46〕182－184
刘和珍 〔17〕21,22 〔18〕35 〔31〕26,92,93 〔37〕102,103
27 刘尔炘 〔16〕48,56,57,138,139 〔30〕80
30 刘宝山 〔42〕42
刘宝全 〔3〕100 〔13〕53,55,57 〔42〕15,17,18
刘宝箴 〔39〕204,205
刘永济 〔33〕122,123
刘永福 〔40〕26－28 〔43〕22
刘家镇 〔12〕68
刘守愚 〔20〕89
刘良模 〔12〕100
刘宗向 〔48〕109
31 刘福姚 〔27〕43,76
32 刘训镛 〔12〕166
刘兆斌 〔19〕138,139
33 刘心源 〔27〕128
34 刘法钰 〔8〕124
刘汝璠 〔30〕38
刘洁尘 〔46〕38
刘洪雄 〔5〕73
刘连荣 〔15〕103,104
35 刘清扬 〔4〕79,159
36 刘 湘 〔6〕80,104,178－180 〔36〕131,151,154 〔44〕39,40,47,49 〔47〕15,19,23,37,63－65,76,

87,137,138,152,162
刘遇真 〔34〕175
37 刘润通 〔24〕54
刘汉臣 〔3〕100,101
刘鹤龄 〔21〕19
38 刘海粟 〔1〕58 〔2〕47 〔35〕63－66 〔41〕45,53,61
刘海清 〔43〕70
刘道一 〔48〕46
40 刘义贞 〔19〕135,136
刘士端 〔26〕92,93
刘声元(黎青) 〔6〕32
刘存厚 〔44〕171,174 〔47〕19,22,23,31,33
刘志陆 〔38〕41
刘志丹 〔34〕1,2,5,6,8,9 〔43〕9,10
刘喜禄 〔46〕16
刘喜才 〔5〕123,124
刘大子 〔37〕131
刘大鹏 〔39〕221
42 刘长久 〔37〕53,54
刘长述 〔44〕7
刘长春 〔19〕173 〔46〕57,58 〔49〕96,97
44 刘基炎 〔9〕121
刘芦隐 〔6〕156
刘花子 〔48〕35,36
刘蔚庐(人熙) 〔11〕93
刘茂恩 〔9〕19,20
刘勃舒 〔31〕85,86
刘艺舟 〔33〕19,21
刘世传 〔6〕177
刘 英 〔22〕4
刘英士 〔28〕77,78
刘树才 〔26〕102,103
45 刘坤一 〔1〕34 〔3〕124 〔4〕63
刘棣怀 〔25〕176－179
46 刘 坦 〔49〕30
47 刘郁芬 〔30〕81,182,183
50 刘春霖 〔23〕90 〔37〕127
51 刘振卿 〔15〕131
52 刘揆一 〔11〕49,193
53 刘咸炘(鉴泉) 〔6〕63
57 刘邦骥 〔33〕2
60 刘显潜 〔20〕15
刘国钧 〔41〕82
刘国光 〔34〕45

刘黑七 〔26〕54,55
刘　果 〔35〕43,44
64 刘时范 〔31〕55
67 刘明德 〔43〕69
刘　晖 〔8〕100，102〔17〕50,51,123
刘　鹗 〔21〕92〔24〕31，32
71 刘厚生 〔25〕75,151,155，157
刘顾三 〔9〕150
72 刘　刚 〔19〕109,111
77 刘鹏年(长述) 〔6〕70,72
刘腴深 〔11〕86
刘凤来 〔16〕142
80 刘含章 〔20〕13
84 刘镇华 〔17〕22,24,123－125，148，161，168，169〔32〕8,37,38,41,58,59〔34〕37,40,41,43,44,68－70,91
86 刘锦棠 〔24〕44,45,106
刘锡彤 〔23〕185,186
87 刘钧成 〔41〕6
刘铭传 〔32〕47,48,159
88 刘筱衡 〔22〕150,151
刘箴俗 〔17〕86,87〔34〕108,109
90 刘少文 〔3〕33
刘少白 〔39〕18,20
刘少波 〔42〕141
刘少奇 〔12〕30,31〔15〕2,4,7〔40〕142〔48〕58，59,61
刘光第 〔44〕5－7,39,175－177
刘半农 〔5〕158,159〔7〕111〔9〕30,31

0292_1 新

17 新　君 〔5〕160
新砚秋 〔16〕103,104
77 新凤霞 〔42〕46,47

0428_1 麒

09 麒麟童 见周信芳

0742_7 郭

00 郭　亮 〔6〕75,76
10 郭元亨 〔16〕126,127

12 郭瑞清　〔17〕99
郭廷俭　〔26〕52
20 郭维淮　〔9〕177
郭维屏　〔30〕108
22 郭嵩焘　〔11〕1,2,74,93 〔16〕43,132
郭彩彩　〔39〕185,186
23 郭俊卿　〔29〕80,81
24 郭德洁　〔2〕8 〔4〕154,155
25 郭仲隗(燕生)　〔9〕71
27 郭　坚　〔17〕57,58,155,156 〔34〕39,40,72
郭坚忍　〔18〕133,134
郭纪勇　〔40〕139
郭象升　〔39〕66,67,185
30 郭　富　〔9〕187
35 郭　清　〔41〕9
郭沫若　〔1〕130 〔2〕68 〔3〕10,42,43,45 〔6〕27,28,54,67,68,77,84,85,89,90,104,159,160 〔7〕24,25,64,118,119 〔8〕58,80 〔10〕49 〔11〕69 〔12〕15,16,85,88,120 〔13〕41 〔14〕69 〔15〕44 〔18〕48 〔19〕130－132 〔20〕50,83,134,146,160,182 〔21〕92 〔22〕163 〔25〕16 〔26〕43,44 〔27〕8,60,104,188 〔30〕143 〔33〕27,47－50,55,58 〔36〕9,13,28－30,58－60,84,124,153,155,156,158 〔38〕102,129 〔44〕56－58,75,144 〔47〕34,91,92,164 〔49〕11,12,53
38 郭海长　〔35〕85,87,88
郭祥泰　〔9〕176
40 郭南浦　〔30〕133,134 〔45〕45,50,51,132
郭希仁　〔8〕23,37,38
郭大力　〔11〕67,68
43 郭献亭　〔37〕111
44 郭芳五　〔9〕72,73 〔35〕21,94
郭葆昌　〔41〕91
47 郭超凡　〔20〕4
郭柳亭　〔9〕167

48 郭增莲 〔9〕170,172
郭翰岑 〔9〕101
郭松龄 〔4〕18,19,151〔29〕32,62,110,126
50 郭中藩 〔16〕146
60 郭景琨 〔44〕54
郭景星 〔9〕177
64 郭勋祺 〔36〕122
72 郭则沄 〔12〕64
77 郭凤英 〔39〕187,188
郭贯田 〔9〕176
79 郭胖胖 〔39〕185,186
87 郭钦光 〔12〕139
郭叙五 〔47〕9
88 郭 筠 〔48〕39,40

0821_2 施

10 施无己 〔48〕111
24 施德芬 〔33〕174,175,185
38 施 洋 〔22〕11〔33〕133,134
施肇基 〔23〕14
40 施嘉干 〔41〕90
43 施献璜 〔27〕35
44 施勒楚斯基(ScherschChewsky)〔3〕20
55 施蛰存 〔14〕42
60 施景琛 〔12〕80,123
62 施昕更 〔10〕129-131
80 施今墨 〔17〕4〔18〕160,161
82 施剑翘 〔3〕72-74〔23〕73〔25〕41

1010_1 三

77 三贝子 〔15〕140,141

正

25 正 生 〔41〕107

1010_4 王

00 王广庆 〔35〕22,109,111
王彦录 〔45〕136
王庆淮 〔19〕139,140
王庚山 〔16〕61,62
王麻子 〔15〕128,129
王文韶 〔21〕1-3〔43〕174
王文农 〔33〕82,83,127
王文敬 〔35〕126

王　襄　〔4〕33
07 王毅斋　〔9〕45，86，87 〔35〕22，23，89，104－106，108
王毅灵　〔4〕91，98，99
10 王一亭　〔3〕75，84
王一飞　〔11〕20
王一山　〔34〕17，161
王正廷　〔21〕50，51，132
王正起　〔33〕68，69
王亚南　〔11〕67，68
王亚樵　〔32〕39，40
王玉本　〔45〕109
王雪涛　〔7〕37，132，133
王雪民　〔13〕28－30
王　琼　〔39〕2
王　震　〔34〕5，13
王晋之　〔13〕26－28，162，163
王晋笙　〔14〕69
王西神　〔41〕106
王云五　〔3〕18〔7〕31〔12〕67，68〔14〕48〔31〕55〔45〕75
王天纵　〔35〕41－43
王天培　〔20〕79，80
王天民　〔17〕88、94、95
12 王北方　〔35〕1
王廷桢　〔28〕108
王廷相　〔5〕110，111，114
王廷钧　〔11〕41
15 王建若　〔34〕173
王建屏　〔5〕28
17 王　瑚　〔23〕27
王子衡　〔4〕106
王子寿　〔4〕107
王子成　〔22〕153
王子余　〔10〕89
王君直　〔13〕59，63，65
18 王　敔　〔27〕58
20 王统照　〔26〕30，45
王维祺　〔46〕55，56
王季愚　〔49〕87，88
王禹子　〔37〕131
王秉仲　〔41〕189
王秉坤　〔14〕171
21 王步瀛　〔34〕20
王仁堪　〔12〕34
王　颖　〔12〕77
22 王　鼎　〔9〕108

王仙舟 〔19〕144
24 王化一 〔46〕39
王化民 〔42〕147
王先谦 〔11〕40,74,93
王德三 〔14〕9 〔43〕8－10
王德璋 〔16〕105
王德武 〔26〕99－101
王德泰 〔19〕53,54
王德凤 〔15〕131
25 王仲珊 〔4〕52
26 王自明 〔9〕163
王伯沆 〔25〕28,35
王和生 〔16〕85,98
27 王　修 〔39〕159
王象乾 〔26〕171
王凯泰 〔12〕84
王尔烈 〔29〕109,110,121,122,149,150
28 王作民 〔13〕49
王以哲 〔49〕4
29 王秋萤 〔49〕138,139
30 王宝庆 〔3〕106,107
王　宣 〔16〕97,98
王宽诚 〔10〕60,61
王永泉 〔42〕174
王永江 〔29〕23－25,29,31,32,62
王家善 〔29〕77,78
王之孚 〔22〕185
王守仁 〔1〕177 〔2〕68
王定元 〔16〕146
王定圻 〔5〕108,109
31 王福厂 〔10〕116
32 王礼培 〔48〕74,75
33 王治国 〔28〕49,50
王诚斋 〔34〕143－145
34 王汝梅 〔35〕85
王造时 〔3〕142,143,189 〔5〕22
35 王清穆 〔25〕129
王进珊 〔3〕29－31
37 王鸿一 〔26〕12,13,94
王洛宾 〔16〕105,107,108
王　凝 〔25〕153,154
王闿运 〔11〕12,74,93,124 〔16〕43 〔18〕18,88
38 王冷斋 〔7〕9－11 〔33〕55－57
40 王　力 〔27〕56,57

王士珍 〔5〕7,8 〔28〕130 -132
王克诚 〔12〕33
王克敏 〔4〕91 -93
王希天 〔19〕36,124,148 -150
王存才 〔39〕173,174
王志远 〔35〕52 -54
王　杰 〔17〕13,80
王奇峰 〔33〕176 -178
王大化 〔6〕24,25 〔17〕96
王大老虎 〔5〕54,55
王东明 〔34〕60,61
43 王式辉 〔16〕65,66
王朴山 〔19〕35,121 -125,149
44 王　莹 〔27〕8,9,42,52 -54,90,188
王　梦 〔10〕90
王梦白 〔7〕130 〔21〕73 〔25〕138
王荫南 〔5〕93,94
王茂荫 〔34〕66,67
王葆桢 〔38〕158
王蘧常 〔3〕67 〔18〕65,66,113,114
王若飞 〔5〕16 -19 〔17〕4,5 〔20〕18 〔28〕21,22,26,33
王若愚 〔33〕48,136,137
王老三 〔5〕117 -119
王老九 〔17〕60,61,157,158
王世襄 〔25〕141,169
王世选 〔19〕119
王世杰 〔6〕29,84 〔7〕32 〔31〕72,73 〔44〕18
王世相 〔30〕100
王树萱 〔14〕66,67
王树楠 〔45〕10
王树枏 〔46〕105
王树中 〔16〕48,49
王　棻 〔21〕94
王　楠 〔6〕123,175
王独清 〔3〕11,12
46 王槐文 〔47〕7
47 王　觐 〔27〕16
王　均 〔43〕93
王桐龄 〔13〕93,94

王　权　〔16〕75,76
48 王敬芳　〔9〕72,73
50 王青芳　〔4〕29〔42〕160
王麦杆　〔13〕51〔42〕128
王忠生　〔49〕52
王寿龄　〔2〕93
王寿彭　〔26〕65,66,72,73
王寿昌　〔12〕37
王春菁　〔39〕81－83
王贵田　〔8〕108
53 王甫廷　〔42〕19,20
57 王　拯　〔27〕36－38
王静轩　〔9〕80
王静甫　〔32〕97,98
60 王国维　〔1〕172〔3〕144
王国柱　〔45〕156
王国松　〔10〕51,52〔21〕43,44,59
王恩涛　〔46〕26,29,90,130,189
王恩洋　〔44〕21,22〔47〕176
王曼硕　〔49〕110,111
王　昆　〔42〕119
65 王晓籁　〔3〕86,160,173,174
67 王　明　〔3〕119,122,190
王明琦　〔46〕90,91,93,97
王明轩　〔49〕47,48
王　昭　〔34〕174
王　照　〔7〕74,75
74 王陆一　〔17〕169,170
王陵基　〔31〕54,65,84,85
王财荣　〔21〕126
75 王胜之　〔41〕46
77 王月楼　〔45〕107,108
王同惠　〔2〕28,29
王同春　〔5〕82－84〔28〕152－154
王鹏运　〔27〕43
王殿玉　〔37〕81,82
王尽美　〔26〕11,55
王又宸　〔22〕152
王凤阁　〔19〕58,59
王印川　〔35〕2,3
80 王人美　〔11〕119.〔14〕69,70〔48〕119,120
王益吾　〔11〕124
王金香　〔19〕154－156
王毓祥　〔10〕105

王首道　〔45〕147
王公度　〔27〕177－179
82 王　锴　〔29〕89
88 王从吾　〔35〕49
王笠汀　〔26〕63,64
王竹斋　〔21〕17－19
王敏悟　〔45〕115
90 王少亭　〔7〕87
王光烈　〔29〕141,154
92 王　灿　〔43〕70
95 王性存　〔49〕69,70
97 王耀东　〔34〕155,156

1010_8 巫

33 巫必达　〔48〕164,165

1017_7 雪

57 雪艳琴　〔16〕103,104

1019_6 琼

12 琼　瑶　〔10〕31

1020_0 丁

00 丁立中　〔31〕15
10 丁　丙　〔23〕100
18 丁　玲　〔7〕25－27〔39〕156,157〔48〕82,83
20 丁　香　〔41〕97,98
30 丁宝桢　〔20〕65,66〔37〕49,50,106
34 丁汝昌　〔12〕26
丁　浩　〔6〕58
38 丁道衡　〔20〕84,85〔28〕68,69
40 丁培郇　〔47〕67,68
41 丁　梧　〔21〕88,89
43 丁　龙　〔1〕162,163
47 丁超五　〔12〕137,138
50 丁　申　〔23〕100
60 丁日昌　〔1〕13,67,68,70,71〔38〕136,137,172
丁果仙　〔39〕175－177
79 丁　腾　〔22〕69,70
90 丁惟汾　〔7〕4〔11〕20〔41〕157

1020_1 严

00 严立三　〔22〕18－22,130〔33〕85,86
22 严　嵩　〔14〕54〔15〕

126,133 〔29〕95 〔31〕63,112,136,137
27 严　修 〔4〕37,58－60 〔13〕30,79,80,89,97,98 〔42〕65,66,151,152,170
30 严寅亮 〔20〕58
38 严　瀚 〔37〕51
40 严士佳 〔33〕97,98
43 严龙驰 〔47〕120,121
44 严范孙 〔4〕13,14,53 〔13〕16,18,19,81－83,88,92 〔42〕4,10,11,34,35,87
60 严思明 〔32〕126－128
80 严　复 〔1〕34 〔4〕58,59 〔12〕35－37,75,148 〔13〕103,104 〔15〕35 〔32〕64,97
90 严少臣 〔33〕131,132
97 严怪愚 〔11〕83

1021_2 元

60 元　景 〔29〕89

1021_5 霍

44 霍树棠 〔46〕166,167

1022_7 万

26 万自逸 〔35〕63
30 万宝成 〔16〕44,45
64 万勛忠 〔20〕189
88 万从木 〔47〕103

1040_0 于

00 于赓虞 〔35〕79,80
于庆级 〔46〕26－29
03 于　斌 〔36〕160
11 于非闇 〔15〕31,65
17 于子三 〔10〕144 〔21〕58
27 于峰拔 〔27〕110
28 于　伶 〔25〕108,157,158
30 于宗潼 〔37〕2,3
40 于右任 〔1〕7 〔3〕69,71,127,133 〔6〕21,68－70 〔7〕4 〔8〕24,26,30,31,34,35,81,90,94,96,102,103,105,124 〔9〕36 〔10〕44,90,163 〔11〕11,20 〔12〕88 〔14〕33,71,73 〔15〕59 〔16〕3,4,36,86,124,146,152,161

〔17〕3,14,15,17－20,24,26,58,74,75,108,123,126,127,131,160－162,169,170〔18〕16,17,63,161〔20〕69－71〔22〕105,119〔23〕95〔24〕38,114〔29〕63,74,75〔30〕3,43,77,78〔31〕99〔33〕11〔34〕40,42,56,71,75,76,123,124,131,135〔36〕4,10,11,33－35〔37〕104,105〔40〕64,65,92〔45〕1,2,32,44,45,84,86,87
60 于是之 〔13〕69,70
67 于明信 〔37〕71,72
77 于凤至 〔19〕23－25〔35〕16〔46〕10－13,128
80 于镜涛 〔19〕74,91,92
90 于学忠 〔22〕143〔26〕63,87〔30〕9－11

1040_6 覃

51 覃 振 〔15〕15,196〔48〕50

1040_7 夏

10 夏丏尊 〔10〕39,40〔41〕27,33,41
19 夏孙楚 〔36〕91,92
21 夏 衍 〔6〕112
24 夏 德 〔1〕162,163
25 夏穗卿 〔25〕128
27 夏绍曾 〔14〕37
30 夏之时 〔47〕7,8,20,38
34 夏斗寅 〔33〕30,37,38
40 夏奎章 〔15〕181
44 夏莲居 〔26〕94
50 夏寿康 〔33〕67,86,87
77 夏月润 〔3〕114
77 夏月珊 〔3〕114〔25〕71,72〔41〕69

1040_9 平

72 平 刚 〔20〕13,14,18,30,34,39,40,46,69,180,181

1044_7 聂

10 聂 耳 〔7〕62,63〔11〕

23,24 〔43〕74
24 聂绀弩 〔36〕121
40 聂士成 〔4〕24,25

1060_1 雷

10 雷　震 〔12〕18
23 雷发聋 〔48〕96,97
30 雷宾南 〔27〕78,79
33 雷溥华 〔7〕49
雷补弟 〔14〕64
34 雷　诺 〔16〕182,183
44 雷茂才 〔48〕76
48 雷乾元 〔14〕63
77 雷履泰 〔39〕211－213
85 雷铁崖 〔44〕1－3

1060_2 石

14 石　瑛 〔33〕85,95,96
30 石宾(赵荣国) 〔39〕154,155
31 石评梅 〔7〕8,9〔39〕117－119
33 石补天 〔29〕10
34 石达开 〔14〕55〔47〕1,99
57 石　挥 〔13〕70,71〔15〕115〔25〕73,74,156
77 石陶钧 〔14〕28
80 石金声 〔37〕20
90 石　觉 〔10〕83,84〔21〕13

1064_8 醉

00 醉痴生 〔33〕108

1071_7 瓦

24 瓦德西 〔15〕66,146

1073_2 云

34 云连生 〔5〕152〔28〕113,114
77 云丹桑布 〔29〕168,169

1080_2 贡

77 贡桑珠尔默特 〔28〕91
贡桑诺尔布 〔5〕65

贾

25 贾侠飞 〔9〕51,52
29 贾继英 〔39〕236

40 贾力更 〔5〕42－44
44 贾桂林 〔39〕182－184
60 贾恩绂 〔26〕23
贾昌言 〔6〕167
64 贾　勋 〔16〕174
80 贾普知 〔46〕148

1080_4 天

10 天台山农 〔49〕151

1090_4 粟

53 粟成之 〔14〕49,50,60
80 粟毓美 〔35〕177,178

栗

38 栗　裕 〔10〕101，102〔41〕36〔49〕129

1111_4 班

34 班为兰 〔2〕186
38 班　禅 〔21〕109，110〔24〕112〔30〕124,129－132

1118_2 项

22 项崇周 〔14〕1,2
30 项宗沛 〔17〕35,145,153,180
80 项美丽 〔3〕64,65

1173_2 裴

44 裴慎之 〔16〕96,97
47 裴馨园 〔49〕133,135,136
60 裴星川 〔37〕59
裴昌会 〔35〕182,183
72 裴乐义 〔2〕168

1223_0 弘

10 弘　一 〔12〕58,76〔13〕29〔14〕51,52〔37〕94－96〔41〕32,33,51〔45〕96
24 弘化公主 〔30〕153,154
80 弘　伞 〔14〕51,52

1223_4 张

00 张立德 〔37〕149
张立范 〔28〕66,67
张广建 〔30〕1,2
张竞生 〔1〕4,5,17,77,79,80,114

张庆韶 〔8〕95
张文伯 〔22〕143
张文昆 〔14〕95
张文光 〔12〕75 〔14〕135
张辛实 〔19〕172,173
02 张新芳 〔9〕158,159
10 张一平 〔8〕47,48
张一之 〔6〕77 〔10〕142
张正新 〔15〕94
张正宇 〔3〕32 〔41〕58
张亚雄 〔16〕93,94
张玉亭 〔13〕75－77
张玉德 〔17〕103
张元济 〔10〕101 〔12〕20 〔14〕73 〔18〕63 〔21〕95 〔22〕107 〔25〕130 〔28〕78 〔40〕78 〔41〕25
张开先 〔11〕188,189
张石川 〔34〕64 〔41〕70－72,77
张百度 〔12〕21
张百熙 〔11〕39,40 〔13〕80 〔15〕190 〔48〕6,7
张醉丐 〔15〕108,110
张云山 〔17〕15,46,108
张云生 〔23〕51
张云逸 〔2〕39,40,138 〔18〕60 〔27〕102,103
张云责 〔19〕126,129－132
张天方 〔21〕55
张天翼 〔3〕62,63 〔48〕108
张天佑 〔22〕109,110
11 张　瑨 〔29〕140
12 张　瑶 〔47〕66,67
张延厚 〔23〕51,84
张廷孟 〔37〕142
张廷深 〔37〕142
张廷阁 〔49〕151,152
张廷枢 〔42〕8,9
张廷辅 〔33〕3,4
张廷举 〔23〕92,93
13 张　武 〔1〕83 〔5〕71
14 张劢生 〔36〕104
15 张建侯 〔30〕94
张建勋 〔27〕76
张建堂 〔49〕122
17 张孟钦 〔9〕2,3
张弼熙 〔20〕68,69

张子华 〔45〕35,36
张子宜 〔17〕71－73
张灵甫 〔31〕46,47〔32〕56,57,159〔34〕49,50,131
18 张聪愚 〔37〕18,19
张　群 〔6〕19,34,35,176〔7〕32〔9〕121〔30〕77,78〔33〕73〔36〕6,128〔47〕52,53
20 张维城 〔31〕28,29
张秀眉 〔20〕124
张　乔 〔40〕138,139
张季鸾 〔8〕34,70,71,91,102〔36〕2,116,118
张禹川 〔45〕76,77
21 张缙彦 〔49〕63－65,197
张仁蠡 〔33〕46,62,63
张仁奎 〔3〕152
张占魁 〔28〕30
22 张　彪 〔13〕164
23 张发奎 〔38〕103〔40〕66,67
张稼夫 〔39〕153,154,160
24 张先培 〔20〕27,28
张德彝 〔38〕126
张德成 〔36〕28
25 张纯一 〔33〕6,7,16
张仲强 〔43〕44
张仲鲁 〔9〕81,82
张仲照 〔3〕27,28
张侠魂 〔20〕97,98
26 张自忠 〔3〕17〔4〕12〔25〕88,104－106,141,159〔30〕27,28,105〔36〕128,129
张自箴 〔45〕36
张伯驹 〔13〕17,64,66〔15〕119,163〔42〕62,63〔46〕77,78
张伯歧 〔10〕4,5
张伯祯 〔1〕19
张伯苓 〔4〕23〔13〕84,86,87,89,90,128－130〔14〕50〔28〕82〔36〕6,7,104
张伯英 〔23〕51,84,85
张伯熙 〔38〕48
27 张绍曾 〔42〕174
张修德 〔39〕247

张鲁庵 〔41〕85,86
张凯嵩 〔2〕95
张包子俊 〔21〕64,65
张叔诚 〔42〕76
28 张作霖 〔4〕18,20,55,56,81－83,97,98,149－152,162〔6〕16,17〔7〕5,11,58,113〔15〕29,35,75－77,106,171,196〔19〕22－24,28,29,73,96〔21〕11,82〔22〕68〔23〕34,36,57,195,197〔25〕99,102〔28〕12,13,36,110〔29〕9,12,13,18,20－25,27－35,41,48,49,62,90,92－94,113,116,117,124－126,129,141,176,177〔31〕45〔37〕22,25,75,143〔41〕141,153〔46〕1－3,5,18－20,99,126,151,179,188
张作相 〔4〕126,127〔19〕29,30,48,49,96,134
29 张　继 〔9〕5,101,150〔13〕167〔15〕55,56〔39〕94,95
张秋琴 〔38〕124
30 张宝书 〔17〕140
张永吉 〔45〕167
张之洞 〔1〕24－26,28,34,175〔3〕123,124〔4〕55,73,140〔11〕38,42,53〔12〕44〔13〕30,80,164〔15〕190〔16〕42〔18〕19〔20〕16,57,157,158〔21〕93〔22〕24,25,81,110－112,140,165〔25〕12〔33〕19,46,70,71,84,92,111,116,130,173〔38〕46,60,113,134,154〔39〕6,7,65〔44〕64,139
张之汉 〔29〕141,142〔46〕43
张寒晖 〔8〕65
张　謇 〔3〕68〔23〕88,89
张官廉 〔16〕91,92
张宗海 〔16〕1,2

张宗祥 〔10〕63,140,141,147〔21〕34,48,53,86,130,131,141
张宗昌 〔22〕68〔26〕11,12,52,53,71－77,107,138,140〔29〕35,36〔34〕70,71〔37〕7,25－28,32,33,114
33 张心一 〔16〕67,68,91,92〔30〕42,43
张浚濂 〔16〕137,138
张治中 〔11〕85〔16〕107〔19〕39－41,62,63〔20〕45,46,86〔24〕26－28,39,118〔30〕8,15－17,54,123〔32〕16,17,21,43,44,51,53,54,59,159〔34〕81,96,140〔36〕38,39,76,127,128,155,156〔38〕157
张　诚 〔25〕126〔42〕73,74
张诒孙 〔4〕159
34 张　澍 〔30〕88,152,153,159
张法杰 〔17〕7,8
张汝舟 〔20〕101,102〔32〕70,71
35 张　冲 〔14〕102,103
37 张　澜 〔6〕19,20,54,65,66〔19〕20〔36〕1,2,39,40,124,131,154〔47〕15,40－42,97
张鸿烈 〔9〕20,134
张汉三 〔5〕59
张汉举 〔3〕93
张闻天 〔41〕114
38 张海清 〔27〕131
张漾兮 〔6〕24,42,54
张裕钊 〔33〕124,125
张道藩 〔20〕33,34,44－46
张肇志 〔40〕13
张肇基 〔8〕26
40 张培爵 〔47〕16,17,26,27,42
张培梅 〔39〕88,89,142－144
张克忠 〔42〕3－5
张布侯 〔8〕93,94

张有晋 〔48〕33
张志鱼 〔7〕80
张致光 〔45〕27
张友鸾 〔18〕144，145〔32〕68〔36〕118,119
张友仁 〔14〕16
张嘉谋 〔35〕60,61,93,97
张吉庆 〔22〕50
张大章 〔44〕71,72
张大千 〔1〕83,170〔2〕47,49,91〔3〕71〔6〕1,3〔7〕76，126，128，130，153,154〔10〕117〔13〕30,34,36〔15〕31,32，59,60,66,67,85,92,96，107,196〔16〕146,147，152〔17〕77〔21〕85〔22〕125〔24〕99〔25〕81,82,142〔27〕40〔30〕45,46,49〔41〕46－48，50〔44〕12,14,84,179〔45〕11,84,88,90
张真仙 〔8〕121,122
张东白 〔17〕56,156
张东荪 〔7〕150,151
张森楷 〔47〕71,72
张荆野 〔22〕6,139,140
43 张龙榜 〔19〕80,81
张　城 〔42〕73,74
张献忠 〔4〕63〔47〕2,3,155
张聋髽 〔41〕132,147
张　榕 〔46〕17,18,179－182
44 张燕卿 〔19〕166
张老秋 〔1〕117
张老槐 〔4〕42,43
张老时 〔9〕187
张世镳 见张聋髽
张其昀 〔20〕16
张英杰 见盖叫天
张树侯 〔32〕112,113
张树声 〔36〕9,10
张树林 〔42〕175
47 张郁如 〔45〕54
张朝墉 〔23〕29－31,82－85,88,101〔49〕70,106,107
张根仁 〔46〕181,182
48 张翰屏 〔9〕180

张敬尧 〔11〕18,158〔48〕10,61,183
张轮远 〔13〕66
张 轸 〔33〕10,11
张 樽 〔19〕146
50 张中孚 〔35〕95,96
张聿光 〔2〕47〔3〕85,115-117
张 泰 〔4〕100
张寿臣 〔42〕17,18,47-49
张素贞 〔19〕98
张柬之 〔22〕135,136
53 张书旂 〔10〕111,112〔31〕81,82
张威遐 〔2〕173
55 张慧冲 〔3〕109,110
张慧剑 〔36〕119,148
57 张静江 〔03〕158〔6〕157〔10〕12,141〔25〕13〔41〕93
60 张星烺 〔12〕110〔15〕40,41
张 晟 〔45〕43,44
张景惠 〔19〕67,73,74,84,92〔29〕21,51,52,113〔49〕44,45,49
63 张畹清 〔7〕40,41〔15〕69
张咏仙 〔27〕115,116
张默君 〔11〕68
64 张 勋 〔1〕13〔4〕38,46〔16〕23,24〔18〕6〔19〕29,106,107〔20〕74〔29〕12,15,16,22,152〔31〕41-45,87,164
65 张啸虎 〔22〕104,105
张啸林 〔21〕141,142
66 张曙蕉 〔21〕90
67 张咀英 〔21〕89
张明俊 〔6〕171
张鸣岐 〔2〕54
张鸣凤 〔2〕182
张昭潜 〔37〕58
张 照 〔11〕131〔14〕87
70 张难先 〔21〕30〔22〕20-24,69〔27〕19,20
72 张质生 〔30〕90
77 张凤台 〔35〕44,62
张凤翙 〔8〕41,42,93

〔17〕15,108,123,152,153,162〔34〕22,82,125
张凤楼 〔49〕115,116
张同敞 〔27〕66
张又莱 〔10〕136,137
张异荪 〔42〕67
张民达 〔38〕105〔40〕15,16
张贯三 〔39〕68
80 张兰德 〔15〕170〔45〕113
张金辽 〔20〕121
张令瑄 〔16〕14,18,152
张夔阶 〔6〕123,175,176
张善孖 〔6〕82,83〔8〕81〔13〕34,36〔14〕76,77〔15〕96〔22〕125－127〔41〕46,47
张镜蓉 〔6〕57,58
张 钫 〔8〕24,26,104,105〔9〕10,73,97,133－135〔17〕131,138〔34〕76,77〔35〕17,18,42,107,164－166,181,182
84 张镇芳 〔9〕52,117
85 张钟瑞 〔9〕1,25
86 张锦芳 〔38〕133,134
张知本 〔22〕83
87 张翔初 〔34〕69,111
张 铎 〔44〕38,39〔47〕11,12
88 张从吾 〔47〕45－47
张筑岩(彬) 〔37〕92
张竹平 〔4〕71
张简斋 〔31〕99,115－117
张 铨 〔39〕231
90 张小林 〔17〕50－52
张少夫 〔11〕29
张光宇 〔3〕32〔41〕58,59
张光藻 〔49〕65,66,101
张学良 〔3〕1,2,189〔4〕18－20,37,77,81,153〔5〕16,41〔6〕9,47〔7〕2,11〔8〕29,30,46,47,91,104,151〔9〕34,35〔15〕76,116,171,172〔16〕31,32〔17〕6,28,61,72〔19〕15,16,24－28,32,37,49,130〔20〕

176,178 〔21〕10,11 〔22〕15,16 〔23〕58,67,68,174－176,191 〔25〕4,5,13,99－101,103 〔29〕26－29,31,32,38－44,49,57,71,75,76,90,92,93,110,111,123－126,129,136,137,153,154,157 〔30〕9,10,22 〔33〕78,79 〔35〕15,16,122,168 〔36〕11,124,131,136 〔45〕12,13,33 〔46〕5－7,9－13,21－25,58,64,99,108,109,140,149,151,158,162,171,184,188 〔49〕1－4,44,95－97

97 张根水 〔3〕61,62 〔7〕154,155 〔8〕62 〔25〕55－58 〔30〕83 〔32〕72,74－76,159 〔34〕63－65 〔36〕69,70,119 〔45〕94

张 炯 〔14〕45

张炯奎 〔16〕8

张焕相 〔49〕95,96,107

1240_1 廷

00 廷 雍 〔7〕39

40 廷 杰 〔5〕114－116

1241_0 孔

38 孔祥熙 〔1〕57 〔3〕160,163－167,182 〔4〕72 〔5〕21,56 〔7〕43 〔9〕135 〔10〕38,39 〔31〕48,49,99,116 〔39〕119,136,241 〔47〕184,185

孔道宏 〔27〕181

80 孔令贻 〔22〕136

1290_0 水

22 水川伊夫 〔5〕59

24 水 华 〔49〕122

40 水 梓 〔30〕187

47 水 榍 〔16〕71

1341_0 武

10 武百祥 〔49〕54,55,147－150

27 武岛(日本) 〔29〕50

34 武达平 〔5〕103
40 武士英 〔39〕134,135
武志平 〔8〕52,84,85
90 武尚仁 〔6〕132,133

1710_2 卫

00 卫立煌 〔34〕53,54
17 卫聚贤 〔36〕10,71
20 卫秉钧 〔14〕3
50 卫中(卫司特·哈奔) 〔39〕48,57,58

1710_2 孟

37 孟 禄 〔39〕51,52
47 孟觐侯 〔15〕130,131
60 孟恩远 〔19〕28,29 〔42〕167-169
90 孟小冬 〔41〕143,144

1712_0 刁

44 刁 萱 〔45〕114

瑚

60 瑚图哩 〔49〕59,60

1712_7 马

00 马广武 〔45〕23
马彦祥 〔22〕148,149 〔25〕78 〔26〕129
马方晟 〔26〕6-8
马六舟 〔49〕26,36,37,78
10 马一浮 〔2〕49 〔7〕17,52 〔10〕38,39,99,103,104,164 〔21〕33,53,86
马玉清 〔4〕66
马元章 〔45〕44,45
马万里 〔2〕46-48
马 震 〔34〕120,121
马平甫 〔17〕85,142
马平民 〔17〕90
13 马武仲 〔40〕167
13 马 骏 〔4〕79,80,148 〔39〕199-201
17 马子亢 〔45〕116-118
马君武 〔2〕31,32,34,37,44,50,65,90 〔3〕48 〔27〕10,22-24,26,55,63 〔38〕32-34
20 马千里 〔13〕80,87,88

〔42〕34－36,156,157
21 马师儒 〔8〕40,41
马师曾 〔27〕85－87,105,106
马顺清 〔42〕70
马步青 〔30〕5,6,41,42,87,176
马仁甫 〔9〕174
马　衡 〔17〕127
马占山 〔5〕11,46,47〔7〕29－31〔8〕56〔23〕16－18,38,47〔25〕5〔29〕72〔36〕130〔46〕25,157,158
24 马化龙 〔16〕23
马德涵 〔17〕29,30
马德恩 〔19〕34,35
马德昌 〔16〕109
25 马生富 〔39〕255
马仲英 〔24〕14－16,107,108,114,149
马佛樵 〔9〕75,76
26 马保三 〔26〕96,97
马保子 〔16〕164
马伯乐 〔21〕77
27 马　坚 〔3〕20
马彻兰 〔8〕81
28 马以思 〔20〕95,96
29 马继庭 〔46〕170
30 马启西 〔16〕115
马永盛 〔16〕41－43
马良骏 〔30〕15－17
马寅初 〔23〕43－46,96〔31〕48,75〔36〕124,134
马宗融 〔7〕118〔36〕63,64,122,156
31 马福禄 〔30〕20,21,121
马福祥 〔5〕8,9
马福兴 〔24〕72,74－76,118
33 马述融 〔17〕42,43
34 马汝邺 〔16〕57
马淇锐 〔1〕71,72
马连良 〔11〕118〔14〕49,50〔15〕115,121〔26〕127〔42〕31,141,162〔49〕159
37 马鸿宾 〔16〕62,63,116〔17〕108〔45〕36,37,50,51,57－60

马鸿逵 〔16〕35,62,70 〔17〕94,95,108〔26〕77,112,115,116〔28〕36,37,41〔45〕12,13,19,20,26,27,31,35,49-53,57,61-68,81,83,93,107,109,113-116,118-121,126,132,139,148,164
马泽溥 〔29〕112
40 马义龙 〔45〕77,78
马培青 〔30〕189
马吉樟 〔9〕49,79
马　杏 〔17〕96
44 马荫良 〔3〕28
45 马独彪(马老四) 〔9〕144
46 马相伯 〔15〕13,116〔18〕62,139,140,168〔27〕15〔41〕116,117
47 马根济(John Kenneth Mackenjie)〔42〕149,150
50 马青霞(刘青霞) 〔9〕79
马忠骏 〔23〕37,80,82,83,88,101
51 马振武 〔34〕52
马振华 〔17〕91,92〔19〕163,164〔46〕159-160,165
马　赖 〔2〕181-183
53 马书城 〔45〕13,56
60 马思聪 〔3〕144,145〔27〕89
63 马戢武 〔9〕82
65 马啸天 〔30〕95,96
76 马隅卿 〔10〕128
80 马金定 〔8〕132
马毓宝 〔43〕10-12
马公愚 〔3〕72,74
82 马饭包 〔27〕73-75
86 马锡武 〔45〕132
87 马叙伦 〔3〕139,140
90 马小进 〔40〕58,94
马少芳 〔1〕113,114
马光桢 〔12〕82,83
97 马　烽 〔39〕107,159,160

1716_4 骆

21 骆何民 〔18〕48
30 骆宾基 〔6〕75-77
53 骆成骧 〔6〕65,123

77 骆凤楼 〔38〕107

1720$_7$ 了

90 了　尘 〔20〕75－77 〔44〕97

1721$_5$ 翟

34 翟涟源 〔41〕186－188

1722$_7$ 乃

40 乃木希典 〔29〕86,90

1732$_7$ 鄢

44 鄢懋卿 〔21〕104

1742$_7$ 邓

00 邓文淑 见邓颖超
10 邓亚雄 〔27〕175－177
邓玉麟 〔33〕3
邓石如 〔32〕65,102,114,159
17 邓承修 〔2〕40,41
20 邓季惺 〔15〕43,44
21 邓颖超 〔4〕137,159 〔36〕3,25,26,32,54,108,130,152,155
23 邓　发 〔26〕177
26 邓绳侯 〔32〕64,65
27 邓尔雅 〔1〕43,54,55,169
邓尔恒 〔14〕85
30 邓宝珊 〔8〕20,36,69 〔16〕9,24,25,30,35,104 〔17〕5,34,167 〔30〕17,58,59,61,88
33 邓演达 〔26〕62,63 〔40〕18,38
34 邓洁民 〔49〕84
37 邓鹤丹 〔47〕25
40 邓十一 〔27〕186
42 邓长耀 〔5〕120 〔8〕92,93
48 邓散木 〔3〕78 〔23〕102－106
50 邓中夏 〔38〕119,120
邓春兰 〔30〕82,103－105
51 邓　拓 〔12〕69,70
60 邓恩铭 〔26〕8,11,12,55
65 邓映易 〔39〕132,133,183
77 邓　隆 〔30〕26,27
85 邓铁梅 〔29〕58

86 邓锡侯 〔36〕53〔44〕45,47,48,62,134

1750_7 尹

12 尹冀汤 〔45〕141－143
34 尹湛纳希 〔29〕146,147
60 尹昌衡 〔44〕88,174
67 尹明德 〔43〕101
88 尹锐志 〔21〕9,10

1752_7 那

40 那木济勒色楞 〔28〕12,13,132,133
那森达赖 〔5〕30,31
47 那 桐 〔25〕116,117,167

1762_0 司

17 司马绣谷(钟) 〔42〕36
24 司徒雷登 〔10〕159〔15〕116
司徒美堂 〔1〕164－167〔47〕146
27 司督阁 〔29〕66,67,134,135
47 司切帕诺夫 〔16〕40
60 司星聚 〔35〕180
司 昆 〔9〕62

邵

10 邵元冲 〔3〕63〔11〕69〔30〕14〔31〕69,93
邵元节〔39〕261
11 邵裴子 〔10〕8
17 邵飘萍 〔7〕66,67
26 邵伯絅 〔41〕152
31 邵江海 〔12〕92
37 邵洵美 〔3〕52,64,65,82〔41〕34,59
40 邵力子 〔6〕77〔8〕26〔10〕19,44,45〔16〕37〔17〕73,74,83,89〔18〕63〔21〕48,133,134〔36〕4,34,35,115,116
44 邵荃麟 〔10〕24,106
48 邵乾一 〔49〕153,154
80 邵金禄 〔9〕142

1812_2 珍

47 珍 妃 〔1〕14

1940₀ 孙

00 孙立人 〔25〕111－113〔48〕29,30
孙广庭 〔49〕48,82
孙 文 见孙中山
孙衣言 〔21〕79
12 孙廷夔 〔39〕262
17 孙乃顺 〔33〕161
21 孙师毅 〔25〕70,71
22 孙崇善 〔7〕138,139
23 孙伏园 〔3〕30〔4〕72〔11〕85〔15〕53
24 孙 科 〔1〕112〔2〕16〔3〕160〔4〕82,83〔21〕145〔24〕59,60
25 孙仲宁 〔43〕55
孙传芳 〔21〕18,158〔23〕73〔25〕41〔26〕69,70〔29〕26〔41〕154〔42〕26,27
孙佩珊 〔43〕26
孙馥棠 〔31〕117,118
30 孙宝琦 〔41〕152
孙寒冰 〔36〕157,158
孙富岭 〔8〕115,116
孙宗尧 〔19〕148,150
31 孙运璇 〔23〕194,195
32 孙冰如 〔4〕99,116,117
孙诒让 〔21〕20,28,92,93〔25〕7
34 孙连仲 〔4〕11－13〔22〕26,77,78
孙诗圃 〔41〕26,174,175
40 孙东生(维岳) 〔37〕72－74
44 孙 荃 〔21〕61－63
孙蔚如 〔16〕65〔17〕26,62,95〔34〕52,55,56,135
孙葫芦 〔45〕110,111
孙菊仙 〔4〕21,22,38〔42〕9,10
48 孙敬修 〔7〕15,16
50 孙中山 〔1〕1,2,4－8,15,20－22,58,73－75,98－100,109,113〔2〕1,4,18,26,71,72,161,166〔3〕147,155,165〔4〕3,4,6,7,81－83,138,161

〔5〕21,28,33,69,82 〔6〕14－17,58,59,87,153,154 〔7〕3－5,7,8,17,51,52,62,79 〔8〕26,42,57,151 〔9〕4,5,12,117,121 〔10〕1,3,35,44,72,132 〔11〕5－7,11,14,26,41,42,50,58,59,69,78,95,120 〔12〕4,40,45,46,78,122,164,173 〔13〕75,164,166,167 〔14〕31,36,38,186 〔15〕14,18－20,74,77,78 〔16〕1－3,25,140,141 〔17〕6,17,18,20,21,24,80,82,167,169 〔18〕5－7,9,11,12,15,16,22 〔19〕7,8,11－13,218,219 〔20〕14,15,28,30－33,69,74,80,172 〔21〕9,16,48,144,145,152 〔22〕4,6,7,69,70,140,141,164 〔24〕62 〔25〕13,103,115,125 〔26〕4,6,12,13 〔27〕1,2,10,20,22,39,77,141 〔28〕35,111 〔29〕18,24,25,44,132 〔31〕17,20,22－25,33,56,67,161 〔32〕1,2,24－28,31,33－36,39,42,91,159 〔33〕1,5,14,15,18－20,23,75,87,88,95,110,119 〔35〕1,41,42,58,85 〔37〕24,44 〔38〕1,2,4－7,9－11,18－20,23－25,28,29,32,37－39,47,49,59,100－105,110,116,117,119,132,155,159,161 〔39〕8,26,102,119,204 〔40〕1－3,6－9,15,23,32－35,47,56,57,67－70,81,122,132 〔41〕93－95,100,122,166 〔44〕1－3,8,149,177,178 〔48〕9,11,12,28,45,49,57,180

60 孙墨佛 〔25〕159 〔26〕5,6

72 孙　髯 〔43〕39,60,61

77 孙陶凯 〔14〕62

孙殿英 〔9〕147 - 150 〔28〕40,41 〔39〕137 - 140 〔41〕138 - 140 〔45〕17,61,111,133 - 135
88 孙兰英 〔14〕18,19
90 孙少林 〔37〕86,87

1948_0 耿

07 耿　毅 〔2〕4
10 耿　一 〔15〕120
25 耿　纯 〔9〕10,11
29 耿继善 〔37〕112,113
65 耿晓堤 〔15〕112,113

2022_7 禹

30 禹之谟 〔48〕50,102,179

2022_8 乔

33 乔治·何克(英国) 〔16〕154
乔治·海德姆 〔45〕21,22
40 乔有年 〔29〕127,128
乔大壮 〔25〕11,37,40
86 乔知几 〔39〕204,205

2023_2 依

40 依克唐阿 〔19〕215,216 〔29〕6

2033_1 焦

30 焦宗华 〔4〕86
34 焦达峰 〔48〕178
44 焦菊隐 〔30〕50
60 焦易堂 〔17〕3,4 〔18〕160,161 〔20〕187,188 〔34〕36,162,163

2033_9 悉

77 悉尼喇嘛 〔28〕1 - 3

2040_0 千

34 千装伦子 〔9〕25,26

2040_7 孚

14 孚　琦 〔38〕12,151,153

季

10 季　云 〔45〕93

爱

02 爱新觉罗·毓嵣 〔19〕76
14 爱琳娜 〔3〕104

2071_4 毛

17 毛承霖 〔37〕106,107
23 毛俊臣 〔34〕40,41
27 毛鲁木 〔5〕156,157
31 毛福梅 〔3〕159,160 〔32〕11
34 毛汝采 〔9〕98－101
37 毛鸿宾 〔37〕106,107
毛泽东 〔4〕1,2,145,163 〔5〕52,104 〔6〕26,38 〔7〕13,120 〔8〕28,29,40,57,71 〔9〕24,60 〔10〕19 〔11〕17－19,56,57,92,100,136 〔12〕10 〔14〕20 〔15〕2,4－7,9,10,22,23,196 〔17〕34,83,160,161 〔19〕172 〔20〕21,23 〔28〕26,85 〔31〕1－4,62,164 〔33〕42,123,124 〔34〕3－7,53,54,81,99,113,171 〔36〕1,2,4,41,106,107,155,156 〔39〕18,19,102,106 〔45〕25 〔47〕34,35 〔48〕18,19,21－24,32,33,61,113,119,120,136,137,150,166
毛泽民 〔24〕55,97 〔41〕1
40 毛　森 〔41〕6－8,14,15
44 毛世来 〔19〕160－162
50 毛拉尼买吐拉·穆吉孜 〔24〕85
毛青山 〔46〕172
毛春翔 〔18〕123
82 毛剑佩 〔41〕79

2102_7 师

17 师子敬 〔17〕12,156
80 师　复 见刘师复

2108_2 顺

33 顺治(福临) 〔29〕12,84,108,117,119,120,161

2120_7 卢

00 卢文华 〔12〕17
卢文炳 〔18〕154,155
05 卢　靖 〔13〕88,89
10 卢元璋 〔12〕28
17 卢子英 〔6〕27,28
27 卢鱼耀 〔30〕27
28 卢作孚 〔36〕30,142,143〔44〕61,67,68〔47〕56－60,92,143
30 卢永祥 〔6〕16〔10〕7,87,88,164〔32〕40〔47〕49〔48〕11
40 卢木斋 〔22〕82,84
51 卢振寰 〔40〕87,89,90
90 卢少洲 〔12〕78
94 卢慎之 〔4〕116
97 卢　辉 〔40〕165

2121_2 伍

10 伍于念 〔1〕163,164
12 伍廷芳 〔1〕18〔4〕85〔38〕36,39,40,50,90,138
20 伍重光 〔38〕131,132
22 伍崇曜 〔1〕31〔40〕28,29
27 伍叔傥 〔36〕45
34 伍连德 〔23〕70,71
40 伍才毛 〔11〕129
44 伍藉磐 〔38〕78,79
47 伍朝枢 〔38〕40,90
伍柳村 〔6〕48,49
86 伍智梅 〔42〕124,125,144－146

虚

10 虚　云 〔14〕37,38
80 虚　谷 〔32〕105,106,159

2121_7 虎

22 虎嵩山 〔45〕51－53

2122_0 何

00 何应钦 〔20〕45,46
何文鼎 〔34〕78
02 何新三 〔34〕67,68
10 何亚仙 〔44〕70
12 何廷魁 〔39〕231

13 何　武　〔27〕5,6
14 何　瓒　〔21〕138,139
17 何羽仪　〔44〕33,34
何予淑　〔2〕55
何子贞　〔41〕83,84
20 何维汉　〔48〕71
何香凝　〔1〕93,167〔2〕19〔4〕7,147〔21〕83,132〔41〕122,124,147
21 何占元　〔26〕98,99
何占彪　〔45〕124
26 何绳床　〔48〕181,183
27 何绍基　〔38〕172〔48〕69
何冬保　〔11〕128
何　鲁　〔25〕17〔44〕68,69,89
何叔衡　〔11〕92〔15〕21,196
30 何永瑞　〔44〕43
何启麟　〔13〕99,100
37 何鸿吉　〔30〕74
40 何柱国　〔34〕64,164－166
42 何长工　〔45〕25
43 何　求　〔12〕62〔14〕61
44 何其巩　〔32〕52,53
何其芳　〔6〕5,8,9〔26〕41
46 何柏年　〔11〕100
51 何振岱(梅叟)　〔12〕78,80,175
53 何戒僧　〔30〕81
57 何静轩　〔27〕108,109
60 何思源　〔7〕15,59〔15〕25,26,79,80,196〔26〕27,28,45,78,79,84－86,107,122,123〔37〕6,9,68－71,75
72 何　乐　〔8〕131
77 何殿甲　〔46〕51－53
何又雄(淡如)　〔1〕44,51
80 何公敢　〔12〕1,5,141
82 何剑士　〔1〕81－83
90 何光廷(穗田)　〔1〕35
何觉非　〔38〕80
91 何炳松　〔10〕17,18
99 何燮侯　〔21〕35,37

2122_1 衡

12 衡张氏　〔8〕116－118
44 衡基山　〔8〕135

2122_7 肯

02 肯新·克亚克拜 〔24〕47

2123_1 卡

46 卡帕尔 〔24〕90-92

2128_4 虞

34 虞汝均 〔38〕64
38 虞洽卿 〔3〕167,168
〔35〕164,165
97 虞焕章 〔38〕132,133

2180_2 贞

24 贞绪(李正印) 〔9〕172,173

2220_7 岑

50 岑春蓂 〔48〕43

2221_2 能

38 能海(龚学光) 〔39〕189-192,198

2221_4 任

10 任二北 〔18〕82
任震英 〔30〕96,97
任可澄 〔20〕39,40,105,146
17 任弼时 〔48〕60,61
26 任白戈 〔47〕46,48,49
任伯年 〔32〕105,106
27 任佩琨 〔48〕101
30 任宝祥 〔40〕158
40 任喜峰 见月明珠
43 任辅臣 〔23〕188-190
〔29〕170,171
44 任茂林 〔39〕253
47 任　桐 〔33〕118-120,148
50 任中敏 〔27〕43,119,120
任　泰 〔20〕105
53 任护花 〔40〕135,136
60 任国治 〔23〕120,121
80 任全生 〔48〕92

2221_5 崔

10 崔玉贵 〔15〕87,88,171
17 崔　弼 〔40〕149
27 崔名耀 〔29〕125,126
42 崔荆南 〔6〕109

2222_7 嵩

44 嵩　蕃　〔16〕18,19,76

2233_1 熊

00 熊庆来　〔43〕18,20,27
熊文涛　〔34〕101
03 熊　斌　〔17〕156,157
07 熊韵篁　〔43〕167
25 熊佛西　〔7〕78,79〔18〕141〔20〕164,165〔33〕133,135
26 熊保安　〔32〕98,99
40 熊十力　〔22〕10,51,52,141〔25〕20,104〔31〕24,25〔33〕98,99
熊克武　〔47〕13,18-20,22-24,27,43-45,66
熊希龄　〔11〕51,52,96〔29〕11,177〔39〕47-49,56,115
43 熊式辉　〔31〕93-95,144
47 熊鹤村　〔11〕74
53 熊成基　〔18〕1-3〔19〕9,10〔49〕56-58
67 熊　略　〔40〕117
80 熊公哲　〔31〕65,66

2240_1 毕

20 毕秀姑　〔21〕105
24 毕倚虹　〔18〕108,109
46 毕加索　〔15〕107
80 毕复生　〔26〕57-59,101

2277_0 山

47 山地元治　〔29〕55
50 山本(张一鸣)　〔10〕25,26

2290_0 利

17 利玛窦　〔46〕95,96

2290_4 柴

40 柴九思　〔39〕72,73
44 柴世胜　〔7〕105,106

2324_2 傅

00 傅文郁　〔9〕116,117
10 傅石如　〔26〕133,134
傅天飞　〔49〕137,138

22 傅　山　〔39〕74,75,98,260,261
28 傅作义　〔3〕8〔5〕41,46,47,54,58,59,61,75,84,100,101,106〔28〕21,22,24,27,39－45,47,51,53,67,159,161〔29〕70,71〔39〕12－14,26,94〔45〕82,83〔46〕21,22
30 傅宝元　〔42〕71
34 傅连璋　〔45〕25,26
40 傅友德　〔20〕150
傅友周　〔47〕78,79
傅东华　〔21〕65,66
42 傅斯年　〔26〕1－3,49
傅彬然　〔10〕107,108
43 傅式说　〔10〕105〔41〕126,127
47 傅桐生　〔15〕96
57 傅抱石　〔31〕78,143,144,164
60 傅国虎　〔41〕9
67 傅明毓　〔49〕35
71 傅巨川　〔49〕145,146
77 傅凤英　〔43〕118,119
80 傅兰亭　〔37〕141
88 傅筱庵　〔41〕149,150

2325_{0} 臧

10 臧云运　〔36〕88

2328_{4} 伏

20 伏依隆　〔15〕146

2350_{0} 牟

14 牟　琳　〔20〕74
77 牟凤鸣　〔16〕34

2397_{2} 嵇

00 嵇文甫　〔9〕16,47,88〔35〕88,89,101,108

2418_{4} 续

44 续范亭　〔16〕9〔17〕167〔39〕22,24

2421_{2} 佐

44 佐藤弥市郎〔8〕117

2421_{7} 仇

00 仇　亮　〔11〕48

58 仇　鳌　〔11〕9,152
86 仇锡廷　〔42〕54,55

2423_1 德

26 德穆楚克栋鲁普　〔5〕24
〔28〕24
34 德　浩　〔9〕101

2426_0 储

21 储师竹　〔36〕94,95

2440_0 升

23 升　允　〔16〕18,19,139

2440_1 华

20 华香琳　〔41〕75
44 华蘅芳　〔32〕82
华世奎　〔42〕21,22,60,87,104,105,137〔45〕91,92
华莱士　〔14〕189〔16〕158,159
90 华粹深　〔13〕62

2454_1 特

64 特睦格图　〔28〕73－75

2480_2 赞

30 赞永乐　〔1〕112

2500_0 牛

17 牛子厚　〔19〕152
23 牛允宽　〔39〕218,219
32 牛兆濂　〔8〕68,69
43 牛载坤　〔16〕29,30,87,88
90 牛光祖　〔10〕142

2522_7 佛

50 佛来蔗　〔33〕112

2590_0 朱

00 朱应鹏　〔3〕85
朱庆澜　〔6〕179〔8〕39,40〔9〕73〔23〕28,85,88,178〔29〕42〔49〕38,39,106
朱衣点　〔49〕79
10 朱五楼　〔10〕76
朱雪轩　〔23〕101
朱元增　〔11〕137
朱万庆　〔46〕173

15 朱建璋 〔16〕95

17 朱子爽 〔18〕125,126

21 朱经农 〔41〕39

24 朱 德 〔6〕131 〔7〕47 〔8〕6,13,14,43,57 〔12〕32,33 〔14〕8,9 〔15〕1,2,4-7 〔17〕34,158,159 〔28〕121 〔35〕25-27 〔43〕12,13 〔44〕45,62,94-97 〔47〕45-47,140 〔48〕7,21-23,89

朱华芳 〔9〕72

26 朱自清 〔18〕27,84,85 〔34〕97,98 〔36〕105 〔49〕22

27 朱绍良 〔16〕9,36,65,103,128,129 〔30〕6,8,12-15

朱 偰 〔18〕127,128

朱 岷 〔42〕86

朱鄺卿 〔21〕99

30 朱家骅 〔10〕11,47 〔21〕51,52,58 〔25〕22,35 〔29〕144,145 〔41〕157

朱家栋 〔27〕40,84

朱启连 〔38〕112

朱启钤 〔20〕71,72,140

朱守谦 〔27〕140

朱 安 〔7〕156,157

朱良臣 〔20〕110,111

33 朱必谦 〔47〕8,12,20,25

朱梁任 〔41〕185

34 朱 洗 〔10〕52,53 〔21〕38,39,60,61

朱汝珍 〔1〕14,46

朱连奎 〔33〕13,14

35 朱清华 〔39〕61

36 朱渭卿 〔43〕120,121

38 朱海北 〔25〕99,122,189

40 朱 熹 〔12〕107,116,120,121

朱克敬 〔16〕43

朱希祖 〔18〕69,127

朱杰民 〔39〕162

朱古力 〔16〕178

朱喜凤 〔16〕106

朱东洲 〔26〕143,144

朱 森 〔49〕206,207

43 朱龙湛 〔41〕80,98,99,108

朱博儒 〔28〕12,13
44 朱芳圃 〔35〕78
朱荫龙 〔27〕43,44,80,81,185
朱菡君 〔27〕40
朱葆三 〔10〕7,75,76
朱其昂 〔42〕138
朱荣章 〔27〕133,134
朱 楧 〔30〕149
53 朱戒吾 〔49〕205,206
55 朱执信 〔38〕143,151,153〔40〕3-5
57 朱邦科 〔45〕47,48
65 朱晓东 〔14〕109
71 朱雁秋 〔32〕37,38
90 朱小和 〔43〕126
朱 光 〔40〕104,105,154〔49〕86,87,205
朱光潜 〔25〕47,48
朱学范 〔36〕16,17

2600_0 白

10 白玉霜 〔29〕138〔46〕7,8,151,162
白玉昆 〔31〕110,111
白玉堂(毕焜生) 〔40〕124,125
白云鹏 〔13〕55
22 白崇禧 〔2〕11-14,140〔27〕41,51,64,65,67,82〔33〕71,72〔35〕27
27 白坚武 〔9〕4,140
30 白宝山 〔4〕46,47
37 白 朗 〔49〕140,141,143
43 白求恩 〔39〕55,56
44 白 薇 〔23〕64〔25〕50-53
53 白书斋 〔9〕65,66
77 白鹏飞 〔27〕43,51,63,82
白殿玉 〔37〕83
80 白毓庚 〔34〕21,22
白毓昆 〔4〕4-6

2612_7 绵

00 绵 文 〔32〕88,89

2620_2 伯

46 伯 驾 〔38〕61,62

2621_0 但

44 但杜宇 〔41〕73,78

2629_4 保

10 保　三　〔15〕32－34

2641_3 魏

00 魏席儒　〔34〕48,101

10 魏元泰　〔42〕68,69

15 魏建功　〔30〕52,53

20 魏香庭　〔20〕165

22 魏　巍　〔42〕116,117,119

26 魏伯刚　〔2〕137

31 魏　源　〔35〕175〔48〕3,4,132,178

42 魏长安　〔12〕163

47 魏猛克　〔11〕87

魏鹤龄　〔15〕63,65

50 魏青铓　〔35〕90

77 魏又青　〔9〕117

2690_0 和

27 和绍孔　〔20〕15

31 和福高　〔43〕78

77 和月明　〔37〕145,146

2691_4 程

07 程　毅　〔35〕39－41

10 程一敬　〔17〕38

程天元　〔43〕62

17 程砚秋　〔26〕124,125〔39〕172,187〔45〕90

20 程秉钧　〔16〕36,37

22 程鼎鑫　〔41〕38

24 程德全　〔11〕69〔23〕7,8,29,30,51－53,85,87〔28〕10〔48〕11,12〔49〕26,37,106

30 程　宽　〔39〕243

程永龙　〔46〕142,145

程家柽　〔32〕24－26

35 程　潜　〔33〕53,54〔48〕16－18,20,31,32,124－126,132

38 程沧波　〔3〕71,148〔21〕33

40 程大千　〔36〕120

42 程长庚　〔7〕89,90

44 程懋筠　〔31〕67,68,108

程孝芬　〔31〕26,27

程世榕　〔21〕60

61 程　颢　〔6〕124

64 程时煃　〔31〕54

67 程瞻庐 〔41〕21
70 程璧光 〔1〕98 〔12〕26 〔38〕59
71 程 颐 〔6〕124
80 程全中 〔5〕152
81 程颂万 〔11〕52
86 程智谙 〔47〕44,45
94 程 烘 〔23〕109,110

2692_2 穆

02 穆彰阿 〔6〕60－62
80 穆拿亚(美国) 〔48〕99

2707_0 归

00 归 庄 〔13〕37－39

2711_2 鲍

00 鲍 康 〔13〕14,15
12 鲍廷博 〔10〕127,128
50 鲍贵卿 〔19〕29，145 〔29〕34,35
60 鲍罗廷 〔45〕24
80 鲍毓麟 〔4〕18,76,77,81,149,151

2711_7 纪

35 纪清漪 〔7〕11,12,29,67,68
65 纪晓岚 〔12〕123 〔15〕136－138 〔16〕90

2712_2 缪

40 缪嘉蕙 〔43〕31
44 缪荃孙 〔18〕132

2712_7 乌

26 乌·白辛 〔49〕119
43 乌始光 〔3〕85
80 乌兰夫 〔5〕14,15,17,18,23,71 〔28〕16,19,21,33

鸟

77 鸟居龙藏 〔20〕109,146

邬

44 邬燕天 〔40〕144
52 邬挺生 〔9〕118－120

邹

12 邹廷銮 〔35〕71

27 邹　鲁　〔2〕76〔3〕155〔38〕8,145,150－153〔40〕47
30 邹　容　〔44〕3－5〔47〕13,14,93,142,153,154
44 邹荻帆　〔6〕68
邹桂生　〔41〕4
50 邹忠新　〔6〕113
52 邹韬奋　〔1〕85〔5〕22〔10〕37〔18〕39－41,56,64〔36〕4〔40〕55〔47〕97
82 邹剑龙　〔36〕111

2719_9 绿

22 绿川英子(日本)〔40〕59〔49〕11,12

2720_7 伊

44 伊藤博文　〔13〕103,104

多

32 多活佛　〔24〕52
34 多　凌　〔24〕48,49
48 多松年　〔5〕33,35,36,71

2721_0 亿

30 亿　定　〔28〕16－18

2721_2 倪

23 倪俊声　〔49〕113－115

2722_0 向

22 向仙乔　〔47〕83,95
23 向代健　〔48〕122,123
34 向　达　〔46〕70－72
37 向逢春　〔14〕173
44 向　楚　〔44〕87,89
48 向警予　〔4〕7,8〔11〕22〔15〕14
90 向光前　〔48〕122
92 向恺然　〔48〕77,78

2723_3 佟

09 佟麟阁　〔4〕131,132
44 佟蔗村　〔4〕27－29

2724_7 殷

34 殷汝耕　〔42〕171

2725₂ 解

35 解沛然 〔30〕10,11

2726₁ 詹

10 詹天佑 〔23〕31－33 〔38〕22,138,139 〔40〕30 〔41〕142

90 詹光斗 〔22〕52

2728₄ 侯

10 侯一尘 〔42〕18

24 侯德榜 〔4〕115,117,118

26 侯保贤 〔9〕181,182

40 侯喜瑞 〔15〕100

50 侯寿泉 〔37〕126

2760₁ 鲁

12 鲁　瑞 〔7〕156,157

25 鲁佛民 〔26〕55－57

30 鲁宗鼎 〔22〕123,124

34 鲁连城 〔35〕117－119

35 鲁　清 〔10〕27

37 鲁涤平 〔11〕59,60

鲁　迅 〔2〕52 〔3〕37－42,46,48,49 〔4〕21,43,138,139 〔5〕106 〔7〕17,61,73,136,156,157 〔8〕63,125,126 〔9〕32－34,59,60,186 〔10〕111,139 〔11〕22,87,88,106 〔12〕47,70,71 〔13〕20－23 〔15〕12,13,45－47,53,196 〔21〕36,147,148 〔22〕136 〔25〕6,11,36,40,46,49,51,97 〔26〕10,40,41,82,152 〔35〕58,59,74－76 〔36〕57,58 〔37〕4,5,7,56,102 〔39〕102,109,118,124,126－128,248,265 〔40〕45,46,55,95,180 〔41〕27,31,32,38,39,50,146 〔42〕2,58,119－124,179 〔43〕29－31,79,90,91 〔48〕86,87,108,111 〔49〕10,11,53,137,138,142,144

2762₇ 郜

40 郜爽秋 〔47〕72－74

2771_2 包

10 包天笑 〔3〕53 〔41〕27,40,41,50
42 包 斯 〔7〕85
44 包世臣 〔37〕91
77 色丹那木扎勒旺宝 〔5〕6

2790_9 黎

00 黎庶昌 〔20〕5,6,56,57,65
10 黎元洪 〔1〕13 〔4〕31,32,38,161 〔5〕8 〔29〕22 〔33〕12,18,19,21,22,83－85,87,88,110,176 〔42〕132,157,165 〔43〕11,25 〔49〕9,10,78
黎震寰 〔4〕17 〔13〕106－108
34 黎洪兴 〔6〕169
48 黎松安 〔11〕76,77
67 黎明晖 〔11〕119,121,122
77 黎 丹 〔11〕109,110
黎民伟 〔1〕180,181
86 黎锦晖 〔11〕84,85,119,121 〔25〕68－70
黎锦熙 〔7〕22,23 〔8〕41 〔9〕62,91 〔11〕83,109 〔30〕50,59,92,95 〔48〕23,24
黎锦光 〔11〕122,123
88 黎 简 〔1〕148,150
黎敏伯 〔38〕141

2815_1 鲜

10 鲜于璜 〔42〕78,79
17 鲜灵霞 〔42〕41,42
44 鲜 英 〔36〕1,2,126,154,155

2821_2 伦

52 伦哲如 〔15〕149

2826_6 僧

47 僧格林沁 〔28〕105,106 〔37〕18,19

2829_4 徐

08 徐 谦 〔11〕20 〔12〕4
10 徐一冰 〔3〕23,24

徐玉诺 〔19〕132,134,135 〔35〕79
11 徐悲鸿 〔1〕83 〔2〕10,11,45－48,85,86 〔3〕71,90 〔4〕146 〔6〕93 〔7〕130 〔8〕78,79 〔10〕112 〔11〕76 〔12〕72 〔13〕16,52 〔14〕46,58 〔15〕23,24,91,196 〔18〕94,109－111,120 〔19〕140 〔27〕40－42,188 〔36〕46,47,59,82,83 〔39〕30,31,104 〔40〕95 〔41〕56,61,73,146,147 〔44〕13,14,56,180
16 徐碧云 〔25〕60,61
18 徐致靖 〔12〕19,20 〔19〕106
20 徐信符 〔1〕32,33,89
21 徐　步 〔41〕178,179
徐行可 〔22〕86,87,89 〔33〕104
徐占彪 〔24〕30
23 徐代廉 〔27〕134
24 徐特立 〔20〕90 〔34〕99,100 〔48〕100,166
26 徐自华 〔21〕6,7
徐伯璞 〔18〕112,115,123,168
27 徐绍桀(信符) 〔38〕133
徐向前 〔8〕8,9,135 〔39〕20,35,38,75
徐象藩 〔21〕21
徐名鸿 〔12〕49 〔40〕16－18
28 徐鉴泉 〔9〕56,57
30 徐永昌 〔30〕17,18
徐宗汉 〔1〕76
徐宗泽 〔3〕28
徐澄宇 〔36〕45,46
徐近之 〔47〕74,75
37 徐汉君 〔14〕15
徐　迟 〔17〕75,76
徐朗西 〔34〕83
40 徐士瑚 〔39〕6,10,30,75,120,121,132
徐志摩 〔26〕37,38 〔42〕64,65
42 徐　桴 〔12〕9,10
44 徐老高 〔40〕178,179

徐世章　〔13〕8,39〔14〕25〔15〕74,75,116,190〔42〕75,83,84
徐世昌　〔4〕39,40,161〔5〕8,93〔7〕85〔9〕31〔13〕8,39〔14〕25〔15〕74,75,116,190〔22〕122〔25〕97,99,118〔26〕8,49,116,117〔29〕5,11,13,21,115,132,133,141,153,177〔34〕89,90〔35〕3,4,6,44,62,176〔41〕130〔46〕138,139
徐世光　〔35〕7,176,177
徐　勘　〔9〕135
徐树铮　〔42〕59
徐枕亚　〔18〕106,107
45 徐棣山　〔41〕100,101
46 徐旭生　〔25〕11,14－16,18,21,25,40
47 徐　桐　〔4〕26,27
徐柳仙　〔1〕64
48 徐梅清　〔48〕117
50 徐　寿　〔32〕82
56 徐　操　〔25〕97
57 徐　郙　〔4〕62〔5〕66〔30〕99
60 徐日琮　〔7〕35
徐思平　〔44〕9
徐回天　〔44〕8
77 徐眉生　〔26〕145
80 徐兰沅　〔7〕81,132〔15〕120
徐　普　〔34〕33,34
82 徐剑魂　〔22〕43,44
86 徐锡麟　〔10〕5,6,70,132〔32〕26,28,30
90 徐少南　〔34〕167,168
徐学成　〔38〕140
91 徐炳昶(旭生)　〔9〕70

2998_0 秋

14 秋　瑾　〔8〕58〔9〕73〔10〕2,3,70,71,88,132〔11〕16,40,41〔12〕48,103〔21〕6,8,9,129〔32〕29,30,159〔35〕39－41〔48〕46,47,165

3010_3 宝

15 宝　珠　〔15〕57,58

25 宝　生　〔11〕138〔13〕53
47 宝　鋆　〔19〕2－4,103
77 宝　熙　〔19〕70,76

3010_6 宣

25 宣侠父　〔16〕7,8〔17〕30－32〔30〕32－34,81
40 宣九香　〔47〕36,37

3020_1 宁

07 宁毅侯　〔17〕82

3021_2 完

01 完颜阿骨打　〔19〕209,210

3021_4 寇

30 寇　准　〔34〕146,147
31 寇运兴　〔9〕175
37 寇　遐　〔17〕21,44,45,153〔34〕130,135
寇逢泰　〔13〕16,17

3022_7 扁

47 扁　鹊　〔22〕106,107

3026_7 启

14 启　功　〔15〕62

3040_4 安

00 安文训　〔16〕54
20 安重根　〔29〕61,62
安维峻　〔16〕46,47〔30〕72
24 安德海　〔23〕186,187
25 安　健　〔20〕30,31
37 安　汉　〔34〕46－48
40 安东尼(BroAnton)　〔3〕22
43 安　娥　〔6〕67〔43〕40,41
44 安荣卿　〔19〕57
60 安田作子(日本)　〔26〕5,6

3060_6 宫

24 宫崎寅藏　〔38〕10,11,19
25 宫仲栖　〔37〕1
30 宫宝田　〔37〕143,144
43 宫城长顺　〔12〕187
80 宫善修　〔33〕185

富

47 富格辣 〔39〕202

3060_8 容

00 容　庚 〔4〕141〔40〕101,102

37 容　闳 〔38〕23,93,136－138

38 容肇祖 〔11〕99,100

3077_2 密

27 密尔士 〔3〕33

70 密雅谷 〔12〕28

3080_1 定

30 定　安 〔28〕62,79

宾

21 宾步程 〔11〕42,43

40 宾杰门·布拉斯基 〔41〕69

蹇

24 蹇先艾 〔20〕62,73,164

80 蹇念益 〔20〕72,73

3080_2 赛

80 赛金花 〔17〕88〔32〕85,87〔33〕82,83

90 赛尚阿 〔4〕88

3090_4 宋

00 宋　庆 〔29〕6,53,143,144

宋庆龄 〔1〕99〔3〕64,121,122,190〔4〕136〔6〕44〔7〕44〔10〕3〔13〕164〔15〕4,14,69,196〔21〕135,145〔22〕29〔33〕34〔36〕27,28,151〔38〕161〔40〕10,11,24,25

10 宋再生 〔28〕50,51

11 宋棐卿 〔26〕140,141

25 宋传典 〔26〕139,140

26 宋伯鲁 〔17〕1,13,51,52,130,131,162〔34〕22,23,89,90,132,133

30 宋之的 〔36〕73－75

31 宋还吾　〔37〕5－7,70
36 宋温善　〔25〕175,176,179
37 宋汉章　〔10〕75
宋　湘　〔14〕95
44 宋蔼龄　〔22〕29,74
46 宋　恕　〔10〕35
47 宋　杨　〔48〕111
48 宋教仁　〔7〕3,18〔9〕121〔10〕35〔11〕6,7,10－12,48〔13〕166,167〔15〕15,19,20,34〔17〕166〔18〕13〔19〕7－9〔20〕18,69,70〔22〕6－8
52 宋哲元　〔4〕9－12,120,129,130〔5〕40〔30〕105,106〔42〕5,6,62,87,88,171
60 宋四郎　〔38〕170,171
宋景昌　〔9〕163
80 宋美龄　〔21〕10,132－134〔22〕29,74〔25〕151,152〔29〕39,40〔42〕144,145
85 宋铁梅　〔19〕113,114
90 宋小濂　〔23〕9,29,77,78,85,87〔28〕10,11〔49〕106－108

3111_2 江

00 江亢虎　〔28〕85,86,103
江文焕　〔14〕16
21 江上波夫　〔28〕75－77
30 江寒汀　〔3〕94
38 江　瀚　〔44〕3－5
50 江　青　〔26〕122,123〔37〕14－17

3111_4 汪

10 汪亚尘　〔2〕47〔3〕81,85
22 汪　山　〔47〕169,170
23 汪代玺　〔47〕169
26 汪自新　〔10〕117
汪鲲(江水)　〔12〕8
32 汪兆铭　见汪精卫
33 汪　溶　〔15〕62
34 汪湛海　〔43〕164,165
37 汪　洵　〔3〕84
汪逢春　〔15〕41,42
38 汪海洋　〔1〕173〔12〕113
40 汪大捷　〔34〕56－58
42 汪长青　〔6〕128

46 汪旭初 〔21〕29〔25〕11,12,33,36〔30〕106〔41〕106
51 汪耘丰 〔7〕49
70 汪辟疆 〔25〕11,12,24,25,33,36
80 汪奠基 〔33〕98,99
90 汪慵叟 〔1〕180
91 汪炳璈 〔20〕54
95 汪精卫 〔6〕46,47,110,111〔10〕49〔28〕23,86〔29〕25〔30〕171〔28〕23,86〔29〕25〔30〕171〔31〕55,93,160,161〔33〕87〔35〕37〔37〕43〔38〕101,181〔39〕28,29,85,141,147〔40〕96,107,108,166,167〔41〕11,93〔42〕126〔44〕88〔45〕35〔47〕9,13〔48〕11,30

3126_6 福

22 福岗留(今村善乡) 〔5〕50-53

3130_9 还

15 还珠楼主 〔25〕53-55

3168_3 额

27 额尔和木札那 〔5〕154

3174_6 谭

10 谭玉玲 〔7〕97
谭玉龄 〔46〕15〔47〕145,146
12 谭延闿 〔21〕132〔22〕14,15,73,74〔48〕10,13,18,34,46,57,76,97
15 谭建丞 〔21〕80
20 谭维新(Taccni) 〔9〕69
谭 禹 〔38〕89
22 谭鼎初 〔40〕133
34 谭浩明 〔27〕187
44 谭荔垣(汝俭) 〔38〕125
53 谭成洛 〔37〕120
67 谭嗣同 〔11〕31,96,116〔12〕20〔15〕124〔16〕172〔30〕19,20,65,66〔48〕15,41,42,59,72,

178

80 谭鑫培 〔3〕87,99,100〔22〕148-150,157〔25〕2,61,62,65〔39〕170

85 谭钟麟 〔30〕163

88 谭竹山 〔1〕113,114

谭篆青 〔42〕61,62

90 谭少云 〔45〕96,97

3190_4 渠

31 渠源祯 〔39〕213,214

3213_2 派

40 派　克 〔12〕69

3216_9 潘

08 潘效苏 〔24〕67,68,70

16 潘强斋 〔32〕113,114

23 潘俊志 〔20〕10

24 潘仕成 〔1〕31,98〔40〕107

潘佑强 〔12〕13,14

26 潘伯鹰 〔47〕87

28 潘龄皋 〔16〕20,21〔30〕67

34 潘达微 〔1〕38,53-55,76,81〔40〕40,71

37 潘祖荫 〔17〕41〔18〕117,118〔20〕145

40 潘　古 〔27〕31,32

48 潘敬陶 〔37〕146,147

77 潘月樵 〔3〕114,115

潘　熙 〔1〕176

80 潘公展 〔41〕13,14

97 潘耀庭 〔42〕140

3219_0 冰

33 冰　心 〔26〕149-152〔36〕48,49

44 冰　莹 〔26〕151-153

8050_1 羊

21 羊仁安 〔44〕50,51

3300_0 心

10 心一和尚 〔29〕107

3314_2 溥

11 溥雪斋 〔15〕62,165,167,170

20 溥　儁　〔4〕73
24 溥　仪　〔1〕12 〔4〕38,94 〔5〕1,7,44,97 〔7〕56,97,127 〔8〕103 〔9〕105 〔12〕38,39,41,43,148 〔13〕74,165 〔15〕144,145,162 〔16〕23,44,45 〔19〕66－72,75－80,83－88,90,112,169,187 〔29〕1,2,16,17,22,143,175 〔46〕14,15,32,34 〔49〕12－14
27 溥　侗　〔13〕62 〔15〕151,152
28 溥　伦　〔15〕151
33 溥心畬　〔6〕1 〔7〕126,127,136,153 〔11〕86 〔21〕73,84 〔25〕81,84,138

3316_{8} 溶

23 溶傅(谈月色)　〔40〕92

3320_{0} 补

44 补英尔计(二喇嘛)　〔5〕48

3375_{0} 诚

23 诚　允　〔19〕47－49

3390_{4} 梁

22 梁鼎芬　〔11〕94,95 〔22〕81,82 〔38〕46,55,56,134 〔40〕77－79
26 梁　伯　〔8〕31,32
27 梁佩兰　〔40〕140,141
29 梁　秋　〔40〕116
30 梁启超　〔1〕29,34,35,109 〔2〕3,7 〔3〕144 〔4〕73,160 〔6〕13,14 〔10〕36,37,94 〔11〕46,51,96,97 〔12〕20,122 〔14〕21,22,38 〔16〕52－54,172 〔17〕166 〔18〕63,71,151 〔19〕35
梁启勋　〔40〕133
梁之相　〔43〕58
梁实秋　〔6〕9 〔26〕149,150 〔36〕64－66 〔37〕4,9,70

梁宗岱 〔1〕88,89
34 梁连柱 〔45〕102,103
37 梁漱溟 〔25〕18,19〔27〕17,51,104,105〔37〕12,34,71〔40〕80,81
40 梁培基 〔1〕115, 116〔27〕113－115〔38〕23,118
梁 希 〔10〕55
44 梁节庵 〔1〕32
梁若尘 〔1〕37,38
48 梁敬錞 〔30〕9
50 梁肃戎 〔46〕37,38
梁忠甲 〔29〕36
66 梁日新 〔40〕160
梁思永 〔23〕166,167
梁思成 〔39〕222,223
80 梁善济 〔39〕8
梁善长 〔40〕146
85 梁钟汉 〔33〕5－7

3411_2 池

27 池 岛 〔14〕106
60 池田幸子 〔19〕63〔20〕50,51

沈

10 沈西苓 〔2〕73
沈云陔 〔33〕48,49
12 沈北山 〔15〕38,39
17 沈子星 〔22〕79
沈尹默 〔3〕70
21 沈仁山 〔25〕66,67
沈 衍 〔6〕39
25 沈仲强 〔40〕96
27 沈绍安 〔12〕161
30 沈家桢 〔8〕123
沈家本 〔7〕39〔10〕139
沈宗琳 〔16〕178
32 沈兆霖 〔16〕13,14
37 沈鸿烈 〔29〕45,67,68〔37〕11,37,38,56,95
沈鸿英 〔27〕77,78,181
沈祖棻 〔33〕120
沈逸千 〔5〕100,101,103
44 沈其玉 〔30〕116,117
47 沈起予 〔44〕75
50 沈青来 〔42〕81
77 沈履正 〔48〕114,132
80 沈 复 〔1〕121

沈曾植 〔33〕115,116

87 沈钧儒 〔2〕25 〔3〕10 〔4〕147 〔5〕22,46 〔10〕37,111,139 〔30〕61

88 沈从文 〔6〕8,9 〔11〕80,155,189 〔14〕172 〔25〕47-50,141

沈 铨 〔42〕80-82

冼

31 冼 江 〔38〕147

60 冼星海 〔38〕15 〔40〕53 〔43〕40,41

3411_8 湛

80 湛谷生 〔40〕97,98

3412_7 满

50 满 泰 〔5〕27-29 〔28〕118,119,142

3414_7 凌

10 凌霄志 〔48〕8

17 凌砚池 〔7〕129

24 凌 升 〔5〕44,45

37 凌鸿勋 〔11〕141

3418_1 洪

17 洪子端 〔44〕44

洪子寿 〔27〕110,111

20 洪秀全 〔1〕11, 95, 96 〔4〕105 〔32〕80,81

32 洪 业 〔7〕109

洪 潘 〔36〕90,91

33 洪 演 〔8〕114

37 洪 深 〔2〕78, 83 〔3〕56,57 〔12〕99 〔22〕154 〔25〕77 〔27〕9,90,92-94 〔33〕52,53 〔41〕73,78,180

50 洪寿林 〔45〕48,49

77 洪凤慈 〔44〕71,72

80 洪矢崎义郎 〔1〕95,96

3419_9 漆

27 漆鲁鱼 〔36〕57, 66, 67,74,122

38 漆裕元 〔31〕34,35

3426_0 褚

10 褚玉璞 〔3〕101 〔4〕97,

98,162

3430$_5$ 连

77 连　贯　〔1〕88,183

3430$_8$ 达

00 达　摩　〔35〕91,92
10 达吾提　〔24〕92,93
22 达　利　〔5〕145
57 达赖喇嘛　〔16〕111,112

3470$_0$ 谢

00 谢庭薰　〔20〕159
谢　康　〔27〕56,57
谢六逸　〔2〕50,51〔20〕43-45,83,93〔44〕12
10 谢无量　〔6〕2,21〔7〕16,51〔44〕85,180
12 谢瑞阶　〔9〕67,68,83
14 谢功肃　〔22〕122
17 谢子澄　〔42〕93
24 谢缵泰　〔38〕159
25 谢侠逊　〔20〕169
30 谢之光　〔41〕51,52,62
谢宗祥　〔12〕187
31 谢远涵　〔31〕23
32 谢冰莹　〔11〕78,79〔12〕55,88,89
37 谢汉南　〔22〕138,139
38 谢道承　〔12〕87
40 谢志磐　〔1〕110,111
谢大玉　〔37〕79,80
谢枋得　〔13〕42,43
53 谢成汉　〔12〕59,60
谢威凤　〔45〕41,42,44
87 谢翔高　〔12〕140
90 谢觉哉　〔15〕10,21,196〔34〕99

3471$_8$ 谌

07 谌　毅　〔31〕87
40 谌志笃　〔4〕79,80〔20〕78,79

3476$_0$ 诸

44 诸葛纯学　〔27〕106
77 诸冈存　〔22〕102,103

3516$_0$ 油

35 油清海　〔37〕53,54

3530_0 进

44 进藤喜平太 〔38〕6

3611_2 况

44 况蕙风 〔2〕43

温

25 温生财 〔38〕12

90 温少鹤 〔47〕54

3621_2 祝

27 祝绍周 〔17〕9,11,163 〔19〕16

30 祝宗梁 〔23〕53

3711_7 沉

47 沉 樱 〔26〕153,154

3712_7 冯

00 冯 庸 〔29〕129,130 〔46〕108 110

10 冯玉祥 〔1〕57 〔2〕22 〔3〕3,74 〔4〕11,20,32,82,127 - 129,132,161,162 〔5〕1,12 - 14,37,56,57,101,102,120,121 〔6〕11,12,16,34,47 〔7〕52 〔8〕20,92,94,96,103,104 〔9〕8 - 10,12,27,35 - 38,40 - 42,56,96,103,109,124,138 〔10〕19 〔16〕2,3,7,27,28,32 - 34,62,64,176 〔17〕19,20,24,30,35,77,148,155,176 〔18〕42,136 - 140 〔19〕19,20,42,43 〔20〕75,165,175,176 〔21〕149 〔22〕15,27 - 29,70,71 〔23〕41,42,96,98 〔24〕74,75 〔25〕13,16 〔26〕13,15 - 17,19 - 21,61 〔27〕60,61 〔31〕19,21,22,93 〔32〕16 - 19,52,53,68,159 〔33〕57 〔34〕41,43,44,51,72,127,132,133 〔35〕14,31 - 38,46 - 48,53,54,96,98,99,122,186 〔36〕9,10,14 - 16,32,35

－37,58,129,161〔37〕9,32,45,62,65,96,97,116〔39〕11,12,26,40,45,46,60,85,138,146〔42〕8,27,66,152,154〔44〕17,18,45,144〔45〕1－4,16,17,24,159〔47〕31,47
12 冯瑞生　〔17〕109,111
17 冯乃超　〔41〕2,180
冯子材　〔27〕101
18 冯致祥　〔30〕25,26
21 冯虚舟　〔10〕89
冯占海　〔29〕74,75
24 冯德麟　〔29〕12,13
冯特民　〔24〕12,49－51,88
26 冯细碧　〔40〕51,86,87
34 冯汝骥　〔37〕45－48
40 冯友石　〔17〕78,79
冯友兰(芝生)　〔7〕150〔9〕48,66,71〔35〕20,21,101〔43〕20,108
46 冯　如　〔38〕160
47 冯超骧　〔38〕7
48 冯敬如　〔40〕165
60 冯国璋　〔17〕19〔18〕9,19－21〔20〕28,73
冯国瑞　〔16〕28,52,88,89
冯昆山　〔6〕164
63 冯　畹　〔24〕37
冯咏秋　〔23〕62,64,65
75 冯　胜　〔30〕150
80 冯镜川　〔11〕140
85 冯　铸　〔33〕87,88
88 冯从吾　〔17〕12
冯　简　〔36〕137,163
90 冯光钰　〔8〕77

汤

10 汤玉麟　〔5〕16,117－119,123〔29〕23,24,48〔46〕1,2,4,5,88
24 汤化龙　〔33〕91,117
汤佐荣　〔46〕88
27 汤佩琳　〔33〕91
30 汤定之　〔41〕52
44 汤芗茗　〔11〕26,27〔48〕13,14
50 汤寿潜　〔10〕6,7,40,41,

102,103
汤韦存 〔10〕40,41
60 汤恩伯 〔41〕164
77 汤用彤 〔44〕24,25
88 汤笔花 〔3〕106,108,109,114,183

3714_0 汉

47 汉　姆 〔12〕44,45

3714_7 汲

80 汲金纯 〔29〕21,30,31

3715_4 泽

20 泽重信 〔12〕8
44 泽村专太郎 〔7〕85

3715_7 净

10 净　严 〔9〕179

3722_7 祁

20 祁　香 〔31〕107
30 祁宗元 〔16〕59,60

3740_1 闻

10 闻一多 〔11〕99，112〔14〕17,40,41,47〔23〕72,73〔25〕138〔26〕30,43，44，150〔33〕107〔43〕20,85,108

3744_8 阚

44 阚维雍 〔2〕30,140－142

3772_7 郎

10 郎玉麟 〔10〕25
57 郎静山 〔3〕82

3777_7 阎

10 阎丽川 〔39〕105,106
阎更平 〔17〕92,93
25 阎　伟 〔5〕77,78
30 阎宝航 〔29〕64,65,126,127,129〔46〕106,107,185
阎家琦 〔42〕45,46
33 阎述诗 〔46〕114,115
37 阎泽溥 〔41〕153
38 阎海文 〔29〕59,60
40 阎力夫 〔29〕142,143
44 阎慕昭 〔19〕119－121

阎甘园 〔17〕76,77〔34〕125－128
48 阎敬铭 〔34〕32
53 阎书堂 〔39〕86,87
86 阎锡山 〔3〕3,4〔5〕28,29〔16〕63〔17〕167,175〔39〕9,10,13,16,17,21,27－30,32,35,43,45,47,51－53,57,58,66,71－73,76,77,84－96,123,128,132,137－146,148,151,155,158,196,200,236,251

3780_0 闪

00 闪文章 〔35〕185－187

3813_2 冷

21 冷红生 见林纾
30 冷寅东 〔6〕178,179

3814_7 游

60 游　国 〔38〕41
90 游光绎 〔49〕103,104

3815_7 海

26 海伯特·温奇(德国)〔17〕27,28
28 海伦·斯诺 〔30〕40

3826_8 裕

30 裕容龄 〔25〕122－124

3874_0 许

00 许广平 〔7〕73,157
10 许玉麟 〔21〕16
17 许承尧 〔32〕107
19 许孙穆 〔21〕76
22 许鼎臣 〔35〕15,16,93,94
许崇清 〔38〕35,150
24 许德佑 〔20〕95,96
30 许良安 〔14〕34,35
38 许　论 〔46〕94
40 许克祥 〔7〕13,14
许南英 〔12〕86,87
44 许地山 〔18〕109,140－142
许世英 〔32〕9,42,54,55,131

50 许寿裳 〔30〕52
90 许少卿 〔3〕111
许光斗 〔14〕67

3912_0 沙

38 沙　淦 〔18〕21－23
40 沙克都尔札布 〔28〕28
44 沙莫胡索特 〔24〕1,5,6
77 沙巴依 〔24〕133,135

3930_0 逊

43 逊博尔巴图 〔28〕155,156

3978_9 谈

67 谈明华 〔26〕59,60

4001_7 九

44 九世宫明活佛 〔24〕64,65

4002_7 力

18 力　群 〔39〕106,107,109,110,155
30 力　空 〔39〕191,194,196,197
力宏(王建屏) 〔39〕193,194
84 力　钧 〔12〕60,61

4003_0 太

21 太　虚 〔6〕104,107〔9〕179
80 太仓喜八郎 〔29〕5

4010_0 土

77 土肥原 〔3〕129〔4〕120〔29〕67,68

4010_2 左

30 左宝贵 〔29〕6,7,13,14,33〔46〕41,42,137,170
左宗棠 〔11〕2,5,32－34〔12〕104,105〔16〕15,16,18,23,29,51,52,75,79,80,132,134〔18〕117〔20〕179〔21〕27〔24〕35,106,108,109〔30〕30,69,84,99,149,151,163〔48〕1－3,40,132
34 左连成 〔26〕91,92
40 左直之(埏) 〔39〕76

47 左　权　〔39〕37,114

4010₄ 奎

70 奎　璧　〔5〕23,71,72 〔28〕15,16,19,20,33

4010₆ 查

30 查良镛　〔10〕61,62

4020₀ 才

60 才旦夏茸　〔30〕124－126

4022₇ 内

22 内山完造　〔41〕27,28

南

00 南方熊楠　〔38〕28,29
38 南海十三郎　〔40〕135
40 南南轩　〔34〕25,26

4024₇ 皮

00 皮鹿门　〔48〕72,73
27 皮名举　〔11〕103,104 〔48〕103

4040₁ 辜

辜鸿铭　〔12〕44,45

4040₇ 李

00 李立三　〔23〕33 〔32〕92
李十三〔8〕74,75 〔17〕56,57 〔34〕102,103
李广利　〔30〕158
李广田　〔22〕100,154 〔43〕82,83
李彦青　〔42〕152－154
李庆奎　〔29〕33,34
李庆恩　〔14〕99
李庆全　〔40〕165
李　康　〔28〕52
李　糜　〔38〕156,157
李文斋　〔30〕164,165
李文信　〔46〕62,81－85,91,92
李文茂　〔1〕10,11
李文田　〔1〕33 〔4〕26
李文卿　〔38〕4,5 〔41〕92
02 李端棻　〔20〕11,139
05 李靖开　〔11〕134

08 李　放　〔42〕83,84
10 李　三　〔9〕139,140
李正敏　〔8〕72,73
李玉茹　〔49〕159
李玉成　〔48〕117
李五邪　〔37〕109,110
李雪芳　〔38〕179
李元通　〔39〕207,208
李元桢　〔9〕21,22,116
李霁野　〔42〕119,123,179
李万春　〔28〕96,97
李　霞　〔12〕72,73
李平一　〔9〕7,8,42
李石曾　〔4〕53〔25〕12－16
李百万　〔39〕156
李百川　〔33〕47,48,131,132
李百龄　〔34〕93,160
李可染　〔15〕106
李云扬　〔24〕94,95
12 李登峰　〔8〕65,66
李登同　〔38〕49
李瑞清　〔2〕91－93〔18〕104〔31〕60,61
李瑶屏　〔38〕169
李烈钧　〔26〕16,61〔31〕18,19,93,94,152,164〔43〕34,68
李廷玉(实忱)　〔42〕44,101,180
13 李琬兰　〔3〕9
15 李珠庆　〔14〕70
李建平　〔15〕131
17 李承干　〔36〕18
李子健　〔28〕98
18 李致方　〔5〕72,73
20 李维汉　〔44〕45,65
李舜吾　〔45〕116
李季风　〔46〕34,35
21 李上昭　〔27〕118,119
李经羲　〔14〕5,24,25,28
李何林　〔43〕82
李　贞　〔16〕11
22 李任仁　〔2〕33,34〔4〕146〔27〕18,19,43,44,51,52,62,63
李鼎铭　〔45〕8
23 李　卜　〔34〕113－115
李俊甫　〔35〕23,89,111

李　我　〔38〕80

李　岱　〔19〕157,158

24 李绮青　〔23〕170,171

李仪祉　〔34〕20,40

李先念　〔34〕12

李佐贤　〔13〕14

李德立　〔39〕250

李德尊　〔38〕144

李峙山　〔4〕137,158〔42〕146,155－157

25 李　纯　〔13〕90〔15〕75

李仲特　〔34〕23,24

李健吾　〔39〕120,121

李健侯　〔8〕71

26 李白瑜　〔8〕80,81

李白贞　〔33〕9,10,13

李自秀　〔14〕80

李自躬　〔15〕160

李自成　〔7〕169,170〔8〕70,71〔9〕72〔26〕170

李伯豪　〔1〕120

李伯元　〔4〕21,22

李伯英　〔13〕86〔14〕48

李穆女　〔5〕103

27 李纪堂　〔38〕101

李约瑟　〔16〕72〔20〕106,107〔30〕47－49,53,54

李绍昉　〔2〕57,58

李绍彭　〔14〕189

李多根　〔31〕100,101

李佩卿　〔13〕65〔15〕120,121

李叔坚　〔30〕70,71,73

29 李秋岩　〔17〕56,57

30 李宝镛　〔14〕61

李济深　〔2〕25－27,85,139〔4〕144〔12〕3,4〔15〕4〔27〕2－4,19,25,48,49,51,65,105,122,184〔38〕129

李寒谷　〔43〕79

李富春　〔45〕21,147

李宗仁　〔2〕8－11〔3〕4,5〔4〕154,155〔5〕20,21〔13〕96〔14〕33,34〔27〕5－8,41,50,51,64,67,68,70,178〔32〕19－21

李宗曦　〔44〕60

31 李　江　〔13〕163

李福艳 〔48〕183,184
李福生 〔11〕181,182
李远蓉 〔47〕173
32 李兆麟 〔22〕144－146 〔23〕23,24
33 李治东 〔6〕57,58
34 李为扬 〔18〕12,14,35,84,100
李澍恩 〔19〕5,6
李　满 〔17〕68 〔18〕164
李洁之 〔40〕18－20
李连贵 〔46〕174,175
李　达 〔48〕31,32
35 李进喜 〔15〕83
37 李鸿章 〔1〕13,26,71,179 〔2〕41 〔4〕74,75,84,85 〔7〕39,102,170 〔10〕35,73 〔39〕7 〔41〕11,25,92,97 〔42〕149,150
李闽学 〔16〕21,22
李汉魂 〔40〕20,22,52
李汉俊 〔33〕32－34,80
李汉辉 〔39〕166,167
李淑芳 〔45〕79,80
李淑卿 〔33〕7－9
李洛能 〔39〕79,80
李调元 〔1〕140 〔6〕108
李调白 〔44〕73
38 李海舟 〔16〕73,74
李海峰 〔19〕62
李祥麟 〔34〕71,72,124
李裕智 〔28〕18,19
40 李十三（李芳桂） 〔8〕74,75
李士林 〔28〕119,120
李培庭 〔12〕134
李克筠 〔40〕127,128
李有棻 〔31〕14,15
李存义 〔37〕112,113
李　嘉 〔36〕88
李嘉言 〔30〕95,113
李杏锦 〔43〕15,16
李大超 〔5〕41,42
李大中 〔47〕104,105
李大钊 〔4〕4－6,76,77 〔5〕32,33,72 〔6〕37 〔7〕4－6,17 〔9〕4,5 〔11〕9,20 〔15〕30,35 〔34〕87,88 〔37〕23－25 〔48〕20,21

李大光　〔20〕40-43
李东宁　〔36〕21
李梓明　〔2〕142
李　森　〔14〕180，181〔48〕173,174
42 李长安　〔15〕144
43 李献琛　〔42〕148
李求实　〔33〕89,90
44 李梦彪　〔17〕9
李芹溪　〔17〕14
李蔚林　〔34〕34,35
李茂延　〔32〕89
李茂堂　〔34〕85〔32〕89
李莲英　〔11〕40〔15〕38,39,83,87,145,171〔17〕1,2,165〔38〕70
李　恭　〔30〕107
李攀五　〔33〕183
李苦禅　〔7〕85,132,161〔15〕90,91,196〔37〕98,99
李劼人　〔6〕38,54
李世军　〔30〕31,32
李世芳　〔26〕127,128
李　杜　〔23〕114〔49〕44-46
李　枝　〔5〕89,90
李　林　〔39〕23-25
46 李如鹏　〔4〕125,126
李如金　〔27〕77,78
李柏龄　〔20〕184
47 李鹤筹　〔25〕95
李　馨　〔42〕174
李桐轩　〔34〕24,105,106
李根源　〔14〕24,29,31,56,58,59,71,73,77,90,135〔38〕103,104〔43〕34,49,50
48 李　增　〔14〕6,7
李增霨　〔12〕118〔43〕63
李翰华　〔27〕38
李惠堂　〔1〕94〔2〕50〔27〕24,25〔38〕128〔41〕30
李寿铨　〔18〕12-14
李泰棻　〔5〕99,100
李泰阶　〔11〕26,27
52 李　蟠　〔38〕110
53 李书城　〔22〕23-26,40〔33〕32,33,73,93

李盛铎 〔31〕58,59

李成虎 〔10〕76,77

55 李执中 〔11〕12

李　耕 〔12〕72,73

56 李提摩太 〔39〕6

57 李邦佐 〔42〕44,180

58 李敷仁 〔34〕14,15

60 李国麟 〔31〕39

李四光 〔2〕33〔22〕5,51－55,132,133〔33〕77,78,96

李品仙 〔11〕194〔27〕12,70,71

李景泉 〔5〕9

李景波 〔49〕117－119

李景林 〔4〕55,56〔45〕28,29〔46〕18,20

67 李鸣盛 〔45〕103,104

李鸣钟 〔5〕12

李煦寰 〔40〕19－21

68 李　曦 〔2〕139

71 李厚基 〔12〕21,36,139,140,147

72 李岳嵩 〔14〕43

李则广 〔16〕143

77 李　隆 〔27〕104

李月溪 〔8〕98

李用清 〔39〕2,3

李印泉 〔43〕33－35

80 李金顺 〔23〕112，113〔42〕32－34〔46〕153－155,160,163

李金墉 〔23〕12,13,29,77,78

李　鑫 〔43〕8,9

李慈铭 〔4〕112〔19〕103〔21〕95

李命三 〔47〕69

李毓珍 〔39〕131,132

李毓镛 〔10〕111

李侠公 〔20〕47

李公朴 〔39〕43,44〔43〕54

82 李剑云 〔9〕160－162

李剑飞 〔23〕60,61

85 李钟岳 〔10〕70－72

李铁夫 〔27〕2,3

86 李锦公 〔35〕59,60

87 李　钧 〔4〕60,61

88 李竹如 〔26〕14,15

李敏修 〔9〕85 〔35〕6－8,15,16,62,72,73,90,95,162,180
90 李小泉 〔38〕154
李少芳 〔40〕116,129
李少帆 〔38〕41,42
李光汉 〔19〕125－128
李学忠 〔19〕53－55
91 李炳勋 〔39〕217
94 李恢伯 〔10〕58,59
95 李烛尘 〔37〕121,122
97 李耀臣 〔2〕39,40

4046_1 嘉

40 嘉木样活佛 〔16〕112

4050_0 车

00 车　广 〔40〕7
27 车向忱 〔23〕57 〔29〕47,128,129 〔49〕45
30 车永宏 〔39〕79,80

4060_0 古

10 古　元 〔40〕95
55 古耕虞 〔44〕19－21

4060_1 吉

37 吉鸿昌 〔4〕103,104,132,133 〔5〕34,37,86,88,98,99 〔9〕13 〔45〕5,6
52 吉　哲 〔39〕159,160

喜

22 喜彩莲 〔42〕45,46

4062_1 奇

10 奇丕章 〔28〕24,25
奇天祥 〔5〕23
17 奇子俊 〔28〕143
23 奇俊峰 〔5〕55,56

4073_2 袁

00 袁庆恩 〔23〕184,185
22 袁绶卿 〔46〕3,150,151,165
袁崇焕 〔23〕1,2 〔29〕92,93
25 袁仲沂 〔7〕132,133
34 袁诗荛 〔44〕41
36 袁　昶 〔21〕26

40 袁克文 〔15〕161,162 〔26〕109
袁克良 〔7〕114
袁克定 〔29〕132,133
袁嘉谷 〔43〕2,26,29,30,33,56,61,64,69,111,169,175
袁大化 〔24〕11,34,66,67,129
44 袁世凯 〔1〕18-20,59,76,81〔2〕38〔3〕31〔4〕25,52,59〔5〕7,27,108〔6〕14,17,72,121〔7〕6,7,14,19,46,47,52,55,57,61,62,66,112,115〔8〕26,42,115〔9〕51,52,79,106,181〔10〕34,35,37,44,102,103〔11〕8-13,26,27,45,48,49〔12〕157〔13〕24,87,166,167,169〔14〕6,7,29-31,37,38,52,102〔15〕19,20,34-36,73,74,78,81,88,144,145,151,161,162,170,171,182,183〔16〕2,84〔17〕3,71,167〔18〕5,8,9,13,18,19,21,125,134,136〔19〕13,106,219〔20〕27-30,59,66,67,70-72,77,172〔21〕5,47,97〔22〕7,8,64-66,81,85,91,116,117,119,140〔23〕39,89,187〔24〕5,6,10,12,50,68,76〔25〕3,10,11,119,122,125,172,185,190〔28〕6-10,106,111,155〔35〕6-8,18,42,43,46,60,120,122,154,176,177〔38〕37,50〔40〕12,32,35,36,70〔42〕7,8,25,39,124,154,170〔45〕116〔49〕9,10,58,203,204
60 袁思永 〔10〕42
80 袁金章 〔45〕32
袁金铠 〔37〕98〔46〕61,99,101,102,179,180
90 袁尘影 〔5〕103,158

4080_0 大

37 大冢有章 〔19〕170－172

4080_1 真

24 真　纳 〔21〕157,158

4090_3 索

40 索克思 〔25〕124,125

60 索思诺福斯齐 〔16〕14－16

4090_4 东

00 东方髡 〔47〕111,112

60 东恩纳宽量（慎善熙）〔12〕187

4091_6 檀

17 檀　玑 〔32〕66

4099_4 森

80 森曾太郎 〔8〕18,19

4141_2 姬

90 姬觉弥 〔13〕44

4192_0 柯

14 柯　璜 〔36〕85,86〔39〕66,67,101〔47〕88,90

17 柯邵忞 〔26〕67,68

21 柯　拜 〔38〕163,164

30 柯定础　见柯璜

40 柯　克 〔26〕89

柯克斯 〔11〕114

44 柯基洛夫 〔39〕246

4212_2 彭

00 彭高棋 〔45〕7

10 彭玉麟 〔11〕33,140,141〔32〕46,159〔40〕72

彭雪枫 〔9〕38,39

13 彭武扬 〔6〕154,155

20 彭禹廷 〔9〕35－39〔35〕28,54,55,97,99

24 彭德怀 〔8〕7,14,28〔31〕5〔34〕9,15,165〔48〕61－63,150

32 彭　澎 〔47〕91

33 彭述圣 〔16〕98,99

38 彭海清 〔47〕110

40 彭友善 〔31〕58,72,73,97
彭　雄 〔18〕52
彭东园 〔38〕59〔40〕166
43 彭城子 〔47〕140
44 彭　勤 〔14〕53,54
彭树云 〔47〕123,124
50 彭寿莘 〔46〕18,20
57 彭静智 〔4〕131

4220_0 蒯

42 蒯斯曛 〔41〕36

4241_3 姚

00 姚文采 〔18〕74
姚文焯 〔1〕27
10 姚雪垠 〔9〕71,86,87
姚雨平 〔1〕21,22〔40〕52
12 姚水娟 〔10〕123,124〔21〕71,72
24 姚　华 〔20〕60,61,146,160
28 姚以价 〔39〕10,11
40 姚　克 〔25〕80,81
姚茫父 〔20〕160
姚蓬子 〔36〕52,63,156
46 姚相唐 〔34〕61,62
60 姚显微 〔31〕71,72

4252_1 靳

10 靳云鹗 〔9〕105,106
靳云鹏 〔7〕58〔9〕105〔14〕25,26〔37〕21
33 靳治徐 〔9〕115
40 靳　志 〔9〕46

4273_0 长

67 长野荣二(日本) 〔37〕40,42

4282_1 斯

34 斯　诺 〔45〕21,22

4301_2 尤

00 尤　竞 〔6〕112
10 尤小云 〔41〕65
60 尤四喇嘛 〔5〕152
90 尤小云 〔41〕65

4301_4 龙

10 龙　云 〔14〕33,39,45,

78，109，176，180，181
〔43〕2,18,26,39,171
14 龙劲风 〔40〕11,84,156,171,179
30 龙济光 〔40〕11，12，32
〔43〕33－35
龙启瑞 〔2〕94,95〔11〕133

4341₂ 婉

30 婉　容 〔6〕86,87〔7〕56,57,97

4355₀ 载

32 载　湉 见光绪
35 载　涛 〔5〕1－3,96
37 载　澜 〔49〕72－74,81
51 载　振 〔15〕182,183

4373₂ 裘

80 裘毓麟 〔25〕133

4380₀ 犬

80 犬养毅 〔21〕144，145
〔25〕103

4380₁ 龚

07 龚　望 〔13〕32,98,99
28 龚伦之 见龚炜
95 龚炜(龚理业) 〔42〕2,3

4385₀ 戴

09 戴麟经 〔41〕30,31
10 戴　震 〔32〕9,10
20 戴维(David) 〔6〕171
戴季陶 〔6〕31,52,53,157
〔7〕15〔10〕3〔32〕78
〔34〕160
戴爱莲 〔36〕86,87
25 戴仲明 〔22〕38
戴传贤 见戴季陶
72 戴乐仁 〔30〕83,110
77 戴月轩 〔7〕141,142
87 戴铭礼 〔4〕96
88 戴　笠 〔3〕6，153，171
〔16〕38,39〔28〕25,27,28〔30〕6〔35〕51〔47〕51

4402₇ 考

40 考布切夫(俄国) 〔23〕

117

4410₂ 蓝

28 蓝　馥　〔14〕3
50 蓝韦氏　〔2〕180,181
80 蓝公武　〔49〕21

4410₅ 董

00 董文琦　〔46〕39,40
10 董一道　〔43〕83
董天锡　〔9〕143
25 董仲良　〔6〕113
29 董秋芳　〔12〕47,70,71
30 董永利　〔39〕206,207
31 董福祥　〔16〕19,20〔30〕20,29〔45〕47,141,143,144,165
33 董必武　〔19〕19〔20〕174〔21〕9〔22〕11,130〔23〕46〔24〕41,184〔38〕128
董鼒丞　〔34〕68－70
40 董希文　〔46〕75－77
董在华　〔5〕84－86
44 董其武　〔39〕31－33
董林肯　〔14〕73,74
50 董寿平　〔39〕103,105
53 董咸熙　〔2〕56
55 董执谊　〔12〕62

4411₂ 范

00 范文澜　〔8〕40〔9〕88－90
10 范石生　〔43〕12,13
20 范禹勤　〔16〕153
21 范紫东　〔8〕25〔17〕6,54,55,58,94〔34〕26－28,106－108
27 范绍增　〔47〕50,51,163
37 范鸿仙　〔32〕35,36,39
范鸿泰　〔1〕122
42 范长江　〔5〕106
43 范龙章　〔35〕135
44 范慕英　〔48〕168,169
范若瑟　〔47〕4
46 范旭东　〔4〕125〔37〕121
51 范振绪　〔16〕54,80,147,150－153〔30〕45,46,61,97,98
67 范明枢　〔37〕44
80 范众渠　〔36〕127,128

4412, 蒲

12 蒲延章 〔46〕102

24 蒲德列 〔14〕44－46

26 蒲伯英 〔6〕22,66,67

44 蒲英灏 〔46〕101

48 蒲松龄 〔42〕177

77 蒲殿俊 〔44〕36,37

4414, 蒋

00 蒋方良 〔31〕51,52,113

蒋章骥 〔22〕59

07 蒋翊武 〔11〕13,14〔15〕16〔48〕48,49,51

10 蒋万和 〔13〕85

蒋万青 〔30〕176

蒋百里 〔2〕22〔10〕19,36,37

25 蒋纬国 〔22〕31,32,75,76〔34〕79－81,142

蒋仲川 〔41〕90

蒋仲鸣 〔37〕64

27 蒋经国 〔2〕21,22,187〔3〕159〔4〕87〔11〕67,68〔21〕13,150,151〔24〕60－63,184〔25〕24〔30〕51〔31〕36,49－52,113,116,164〔32〕11,22,23,159〔40〕82〔41〕158〔45〕14,15

蒋 径 〔17〕67,68

28 蒋作宾 〔21〕10,11

30 蒋宗汉 〔14〕123

37 蒋逢午 〔12〕81

40 蒋士立 〔7〕6,7〔34〕29

44 蒋梦麟 〔14〕50〔15〕72〔37〕75,76

蒋荫堂 〔46〕111,112

50 蒋中正 见蒋介石

57 蒋抑之 〔10〕137

60 蒋国春 〔2〕171,172

80 蒋介石 〔1〕88,112〔2〕9,12,20,37,85〔3〕1,3－6,121,122,125,131,137,142,148,149,151－159〔4〕33,76,77,81,135〔5〕20,21,56,59,62,78,120〔6〕11,12,17,18,27,31,46－48,52,74,77,79,155,157〔7〕

2,13,15,31,32,45〔8〕2,3,15,34,51,58,70,91〔9〕7-11,16,17,35,42,43,47,98,100,101,110,114,136,149〔10〕21,37,42,49,50,89,90,107,137〔11〕50〔12〕5,9,10,12-14,16,57,133,157〔14〕33,107,176〔15〕13,24,51,127,179〔16〕2,33,38,62,63〔17〕26,31,32,36,79,108,160,170,171,174,178〔18〕74,147〔19〕20,21,40,62,63,74,96〔20〕38-40,44,80,81,163,183,184,188〔21〕9,10,17,78,132,134,135,145〔22〕8,15,24,31,32,59,69,70,74,75,160〔23〕43,45-47,119〔24〕78,81,100,184〔25〕4,5,13,15,22,25,102-104,110,151,166〔27〕2,48,51,63,67,81,115,174〔28〕23,27,40,41,53,54,152〔29〕43,70-72,75,76〔30〕5-9,11-14,17,46,47,184〔31〕22,39,47,53,54,56,58,61,65,75,93,164〔32〕11,19,20,22,28,38-40,50,53,54,57,60,143〔34〕3,45,49,50,84,85,99,130,134,136,140-142,161,162〔36〕1,2,6-10,15,16,23,44,76,111,128-131,133,144,155,156,160,164〔40〕5,6,20,22,23,38,44〔42〕5,26,27,144〔45〕11-14,24,66,131〔47〕20,23,52,54,144-146,167〔49〕3,14-17

88 蒋竹庄〔3〕136

90 蒋光鼐〔12〕4,16

溥

10 溥一波〔35〕99-101

80 溥复礼〔20〕48,49

4416_0 堵

80 堵全山 〔46〕149

4416_1 塔

61 塔旺嘉布 〔45〕11,12

4420_1 萨

50 萨拉春 〔24〕89,90

萨本栋 〔12〕52,130－134

84 萨镇冰 〔12〕4,50,51,73,123,140〔35〕120〔37〕52

4420_7 芦

22 芦长林 〔17〕93

4421_4 花

44 花莱峰 〔20〕89

50 花中喜 〔48〕123,124

88 花筱宝 〔13〕53,54

4422_2 茅

28 茅以升 〔10〕46－48〔18〕142,143〔20〕148

72 茅 盾 〔2〕52〔3〕37－41,118,119〔4〕147〔5〕106〔6〕54〔8〕43,44〔10〕57,58,94,142,155〔21〕67〔24〕56,57,96〔26〕113〔36〕61,62,124,156

4422_7 芳

20 芳维廉 〔18〕166

芳 信 〔3〕83

萧

00 萧文灿 〔20〕103,104

10 萧一山 〔1〕108

萧开泰 〔44〕183,184

萧石朋 〔11〕174,175

12 萧 烈 〔6〕39,180

21 萧 红 〔23〕63,64,92,93〔49〕132－136,138,140,143,144

萧 何 〔34〕137,141

23 萧俊逸 〔31〕119,120

24 萧德印 〔17〕128

25 萧仲祁 〔48〕9,13,14,183

26 萧伯科 〔48〕67
37 萧　军 〔16〕105，108 〔19〕88，134，135，162－164 〔46〕159，160 〔49〕52，132，133，135－140，143，144
40 萧　克 〔20〕48－50
42 萧长华 〔7〕96
44 萧　蘧 〔31〕74－76
萧楚女 〔22〕12，36，37，88
47 萧朝贵 〔48〕4－6
51 萧振瀛 〔13〕76
80 萧金泰 〔38〕165，166
86 萧锡三 〔38〕46
90 萧光汉 〔43〕160
91 萧炳章 〔31〕17
97 萧耀南 〔22〕66，67，93，151 〔33〕23，36，37，61，88，89，134，172

4423_2 蒙

00 蒙文通 〔44〕24

4433_0 苏

00 苏育民 〔17〕98，99
苏六朋 〔40〕105
07 苏韶琴 〔30〕119，120
10 苏雪林 〔3〕51，52
苏元春 〔2〕64，65，149
21 苏步青 〔20〕83，98
27 苏绍章 〔2〕6
32 苏兆征 〔38〕119，120
37 苏汉生 〔38〕83
43 苏　轼 〔16〕148 〔19〕109－112，178
44 苏　赫 〔28〕91
苏若兰 〔16〕101，102
47 苏郁文（眇公） 〔12〕40
60 苏曼殊 〔1〕43 〔22〕113，115 〔32〕64 〔41〕19
72 苏乐民 〔2〕21，172
77 苏局仙 〔41〕167
80 苏金伞 〔9〕54，83，122，158

4433_1 燕

23 燕卜荪 〔11〕99 〔48〕106，107

4433_8 慕

50 慕寿祺 〔30〕25，97，98

4440_0 艾

39 艾沙罕 〔24〕146,147
41 艾士杰 〔39〕202
50 艾　青 〔11〕106,107
60 艾思奇 〔43〕81,82

4440_6 草

21 草上飞(张辅廷) 〔14〕14

4446_0 茹

40 茹志鹃 〔21〕63,64
87 茹欲立 〔8〕91

4460_0 苗

00 苗文华 〔29〕117
10 苗可秀 〔29〕63,64
82 苗剑秋 〔29〕76

4462_7 荀

55 荀慧生 〔26〕120,121

4471_2 老

80 老　舍 〔3〕42 〔5〕107,108 〔6〕67 〔7〕113,114,118,119 〔8〕21 〔25〕59,105 〔26〕31－37,119 〔35〕29,30 〔36〕13,62－65,132,156 〔37〕61

4472_7 葛

10 葛云霞 〔45〕108,109
12 葛延瑛 〔26〕95,96
38 葛肇煌 〔40〕168,170
51 葛振鹭 〔43〕38
67 葛明惠 〔9〕166
77 葛月潭 〔29〕141 〔46〕135,136
80 葛　镜 〔20〕148,149

4474_1 薛

10 薛云峰 〔49〕128
17 薛子奇 〔23〕190,191
薛君度 〔48〕25,26
30 薛宣猷 〔9〕144
38 薛道五 〔34〕169
40 薛大可 〔3〕31
43 薛始亨 〔38〕111,112
45 薛坤明 〔33〕168,169
57 薛艳秋 〔36〕78,79

64 薛时雨 〔21〕26,27
74 薛慰农 〔28〕79
88 薛笃弼 〔9〕103 〔30〕23 〔39〕26
90 薛觉先 〔27〕86－88,94,95,105 〔40〕96,118,120,121,135,136

4477_0 甘

10 甘雨苏 〔6〕128
27 甘绍相 〔2〕3
44 甘　地 〔21〕152－157
90 甘　棠 〔8〕79,80
96 甘粕正彦(日本) 〔19〕168

4480_0 赵

07 赵望云 〔5〕101－103 〔17〕52,63 〔24〕99
10 赵一曼 〔44〕26
赵正平 〔2〕4,5
赵五贞 〔11〕17
赵玉丰 〔28〕92,93
赵元贞 〔16〕66,67
赵万里 〔39〕247,248
赵天麟 〔42〕166
12 赵引弟 〔39〕180
赵延绪 〔39〕105
赵延祥 〔35〕154,155
17 赵乃康 〔20〕16,17,57,90
赵子岳 〔39〕105
赵君玉 〔14〕68 〔20〕25,26 〔25〕65,66
26 赵伯陶 〔5〕70
赵　魏 〔26〕3,4
27 赵　倜 〔9〕2,3,138
赵倜作 〔35〕46
赵鲁生 〔2〕90
赵尔仁 〔4〕125
赵尔巽 〔11〕36 〔23〕56,117 〔26〕67,68 〔39〕203 〔46〕18,104,179
28 赵以炯 〔20〕7
30 赵宪章 〔23〕197
赵守钰 〔35〕24,25
赵宏本 〔41〕63
赵宗楷 〔47〕48,49
赵宗复 〔39〕36,68,95
31 赵福兴 〔49〕55,56
34 赵满瑞 〔45〕106,107

赵浩公 〔38〕174,185〔40〕86,87,89,90
35 赵清阁 〔36〕68,69
赵进才 〔45〕127,128
40 赵力克 〔39〕110,111,161
赵太侔 〔37〕14〔46〕72,73
赵士通 〔42〕72
赵奎恒 〔35〕148
赵在青 〔39〕112－114
赵存仁 〔15〕126
赵嘉麟(二麻子) 〔37〕100
43 赵戴文 〔39〕9,27－29,36,58,88,89,142,143,191
赵朴初 〔12〕120,176〔15〕69,70
44 赵　萍 〔22〕187
赵　藩 〔7〕61,62〔14〕29,30,39,57,72,73〔43〕22,34,39,100,110,169,175〔44〕121,122
赵老同 〔5〕151,152
赵世尧 〔2〕142
赵树理 〔39〕127,163－166
46 赵如泉 〔25〕71－73
47 赵起杲 〔10〕127
48 赵松樵 〔42〕49
50 赵尧生 〔47〕95
赵寿山 〔8〕33,34,51〔9〕177〔17〕32,33〔30〕8,87,88
赵寿人 〔49〕91
60 赵景深 〔3〕52,60〔21〕67
71 赵雁芸 〔34〕18－20
77 赵　熙 〔6〕13,14,70,71,82,83,121,123,175,176〔44〕9,10,39,40,92,126,132,176,177
赵　丹 〔24〕96,97〔25〕75〔36〕73〔49〕19
80 赵公璧 〔38〕37,38
85 赵铁山(昌燮) 〔39〕97,99,102,266
87 赵舒翘 〔8〕100－102〔15〕183－185〔17〕13,40,41〔34〕30,31

88 赵篱东 〔23〕191
90 赵光印 〔23〕173
赵尚志 〔23〕19－23,61,63
91 赵恒惕 〔11〕25－27,94,193,194

4480_1 楚

60 楚图南 〔26〕27

4480_4 莫

10 莫一凡 〔27〕29－31
莫元瓒 〔40〕102,103
24 莫德惠 〔18〕146－148〔23〕35－37〔49〕1－4

樊

10 樊五斋 〔30〕102
15 樊迪民 〔10〕123,124〔21〕33,71,72
22 樊崧甫 〔41〕6－8,154
35 樊迪文 〔6〕50,51
85 樊钟秀 〔9〕11
90 樊粹庭 〔9〕153,155,156〔17〕52,53,170,171〔35〕84,149,151,152,163－166

4480_5 芙

44 芙蓉花 〔46〕153,155－157,161,163

英

10 英　三 〔23〕11,12〔25〕194
35 英迪拉 〔21〕155,156
47 英格尔 〔33〕103,104

4480_6 黄

00 黄　亮 〔33〕110,126,127
黄齐生 〔20〕18,85－88
黄文弼 〔34〕134,135
黄文中 〔16〕140,141,147－150〔30〕2,3,30
黄文欢 〔27〕27－30
黄文树 〔27〕28,29
黄奕杵 〔12〕155
02 黄端(子棱) 〔12〕107
10 黄三德 〔1〕3,4
黄元和 〔48〕120

黄石屏 〔31〕114,115
12 黄飞虎 见月空
14 黄琪翔 〔41〕15,16
17 黄乃棠 〔38〕18－20
黄乃裳〔12〕156,157〔25〕114－116
黄子和 〔43〕7
黄子谷 〔6〕44－46
20 黄维翰 〔49〕77,78,107
黄秀烺 〔12〕121,122
黄季刚 见黄侃
21 黄仁霖 〔25〕151,152
黄任寰〔12〕49
22 黄　任 〔12〕79〔13〕39
黄鼎萍 〔40〕88,94
26 黄自芳 〔9〕72,73
黄　侃 〔16〕148,150〔18〕71〔22〕113,114〔25〕34〔33〕33,76
27 黄绍竑 〔2〕14,15〔10〕20,21,89〔21〕60,113〔27〕14,20－22
黄绍箕 〔21〕3,4
黄般若 〔1〕55,83,176,177〔38〕185,186
黄鲁逸 〔1〕60,61
29 黄秋耘 〔1〕85,182,185
30 黄　濂 〔12〕26,27
黄　窝 〔27〕4,5
黄永源 〔12〕165
黄启绶 〔31〕7,8
黄宾虹 〔1〕83〔2〕46〔3〕84〔4〕141〔7〕76,82,84,120,121〔10〕114,117〔32〕106,107,111,159
31 黄福斋 〔47〕128
34 黄　浩 〔15〕11
黄　洪 〔43〕75,76
黄华(王汝梅) 〔41〕9
37 黄淑芬 〔49〕61
黄汲清 〔36〕159,160
黄涵之 〔15〕69,70
38 黄遵宪 〔1〕13,30,34,50,69,70,100,101〔38〕21
黄道让 〔11〕136
黄道周 〔12〕143,144
40 黄克强 参见黄兴
黄克夫 〔27〕72,73
黄大定 〔19〕15,16

黄柱臣 〔37〕145,147
黄樵松 〔39〕33－35
44 黄　芬 〔2〕82
黄芝荫 〔20〕24,27,28
黄懋材 〔31〕12－14
黄世仲(小配) 〔38〕43,44
黄楚九 〔3〕77,171－173,178,185
黄黄山 〔48〕56
46 黄旭初 〔1〕88 〔2〕16,30,173 〔27〕41,62,63,65,70,82,93,119,176
黄槐庭 〔3〕176,177
47 黄　鹤 〔48〕27－29
48 黄乾昌 〔20〕162
黄乾灼 〔12〕184,185
黄敬临 〔6〕151 〔44〕31,32
黄松轩 〔40〕165
50 黄申芗 〔33〕18,19,114
60 黄墨涵 〔47〕49,50
黄昌贤 〔38〕167,168
黄昊松 〔22〕41,43,77
67 黄瞻鸿 〔12〕139,140
68 黄晦闻 〔40〕35,37
72 黄质夫 〔20〕94,95
77 黄月村 〔17〕61,167
黄展干 〔40〕126
80 黄人钦 〔14〕13
黄全山 〔5〕41,42
黄金爱 〔12〕112,113
黄毓英 〔14〕5,6,25
黄公度 见黄遵宪
黄　镩 〔41〕148
81 黄钰生 〔14〕47
88 黄竹斋 〔17〕83,84,103
90 黄少强 〔40〕90,91
黄少梅 〔1〕54,83
黄少谷 〔25〕125,126
黄　兴 〔2〕1 〔4〕3,116 〔7〕2－4 〔8〕26 〔11〕5－8,11,43,44,48,94,95,127,128 〔12〕77,125 〔13〕166,167 〔14〕5 〔17〕3 〔18〕12－16 〔19〕9 〔20〕24,28,70,71 〔38〕5－7,101,150,151 〔48〕11,25,46,47,49,57,97,132,162,165,180,

181

黄炎培 〔1〕57〔3〕25, 68,137,138〔4〕147〔6〕86〔7〕2〔9〕36〔10〕49〔22〕159〔23〕37〔24〕24〔32〕15,16〔36〕2,32, 40,41,58,109,110,155〔39〕47,49,56〔41〕81, 128,129

4490_1 蔡

10 蔡一鸣 〔10〕136

蔡元培 〔6〕51〔7〕84〔10〕49,53,111,132〔12〕118〔13〕3,4〔21〕6,20,31,32,47,81,95, 132,133〔22〕10,37〔25〕1,13,14,22,69, 127,130〔32〕6,7〔37〕10,73,76

12 蔡廷锴 〔1〕166,167〔2〕23〔12〕4,49,70,118, 154,155〔40〕17,39

17 蔡孟坚 〔16〕70

20 蔡季襄 〔11〕90,114

26 蔡和森 〔48〕18,19,142, 166

27 蔡绍基 〔42〕154

蔡叔厚 〔25〕107－111

30 蔡 宁 〔36〕160

37 蔡逸哉 〔10〕96

44 蔡 孝 〔40〕150

48 蔡敬襄 〔31〕141－143

蔡松坡 （见蔡锷）

52 蔡哲夫 〔40〕92,93

57 蔡 畅 〔30〕24,25

60 蔡 昌 〔41〕181

86 蔡 锷 〔6〕81,130〔7〕46,47〔8〕42〔11〕44, 46,97,181〔14〕5,24, 25,27－30,38,96,97〔15〕36,37,196〔32〕66〔43〕7,13,23,24,39,68, 121〔44〕86,87〔47〕19, 22,29,31〔48〕45,132, 181

4490_4 荣

00 荣高棠 〔6〕74,75

24 荣德生 〔32〕18,19

38 荣　祥　〔28〕142,152
97 荣耀先(谦登若宪)　〔5〕32,33

4491_0 杜

00 杜立德　〔21〕24,25
杜立特　〔10〕80,81
20 杜重远　〔19〕14〔36〕135,136
22 杜任之　〔39〕10,43,44,71-73,131
26 杜保录　〔7〕39
33 杜心五　〔11〕30,115,118
37 杜汉章　〔38〕171
40 杜声初　〔8〕75
杜友梅　〔35〕115
44 杜慕堂　〔9〕49,78
50 杜聿明　〔2〕24〔27〕64,65,121〔34〕73-75
53 杜　威　〔39〕50,51
77 杜月笙　〔3〕126-128,160,168-171〔47〕146,147,169
90 杜小楼　〔19〕154-156

4491_4 桂

10 桂百铸　〔20〕12,38,39,102,163,164,172
30 桂永清　〔40〕5,6
50 桂末辛　〔21〕98

4499_0 林

00 林彦博　〔7〕124,129
林文庆　〔12〕66,128,129
10 林天遗　〔12〕82
14 林　珪　〔19〕37-39
21 林卓午　〔44〕23,24
22 林熊祥　〔12〕147
25 林传甲　〔23〕52,53〔49〕39,102
26 林白水(懈)　〔12〕125,126
林伯渠　〔11〕9〔15〕5,6〔17〕96,158〔19〕119,220〔32〕93〔34〕53,99,100,124,140〔39〕38〔40〕16,142〔48〕20
27 林　纾　〔12〕35,37,74,75,82,97〔19〕37-39

〔46〕44,45
28 林徽音 〔3〕82
30 林　启 〔10〕93,94
31 林语堂 〔3〕55〔11〕87,88〔12〕55〔36〕65,131-133
35 林清卿 〔12〕160
38 林肇茀 〔12〕103
40 林义顺 〔40〕131,132
林有余 〔8〕97
林　森 〔12〕9,57,58〔14〕104〔29〕63〔32〕7-9〔36〕30-32,144,155,156〔41〕93,116,131,157〔47〕54,184,185
46 林　埧 〔10〕97,98
48 林散之 〔32〕70,71,154
50 林本侨 〔11〕107
林寿田 〔42〕131
60 林墨青 〔13〕79,81-83,88
72 林则徐 〔6〕61〔9〕107,108〔40〕73,107,141〔48〕2-4
77 林风眠 〔21〕81-83,87〔25〕138,139
林凤祥 〔4〕50,51
林同济 〔22〕103
90 林半觉 〔2〕49,50〔27〕25,26
91 林耀华 〔42〕136,137

4542₇ 韩

00 韩文畦 〔44〕30,31
10 韩玉贞 〔30〕82
韩　丁 〔5〕78,79
12 韩登安 〔10〕115,116
17 韩勇义 〔49〕51,52
24 韩德勤 〔10〕82,83
40 韩太湖(飘高老祖) 〔4〕70
47 韩起功 〔30〕37,38,44
60 韩国钧 〔18〕135〔41〕115
63 韩默理 〔28〕3,4
80 韩兰根 〔3〕183
韩复榘 〔3〕4-6〔9〕8,9〔26〕13-15,28,54,55,57,68,72,77,78,80-84,98,108,131〔37〕28-

30,33,34,48,54,55,100
〔41〕150,155 〔42〕66
90 韩光甸 〔49〕109
94 韩慎先(德寿) 〔42〕11,
13－15 〔46〕78,79

4611_0 坦

40 坦克敦布 〔29〕1,15,16

4620_2 帕

44 帕勒塔 〔24〕9,10

4640_0 如

87 如郑锦 〔25〕138

4680_2 贺

10 贺万寿 〔45〕112,113
27 贺绿汀 〔31〕69 〔36〕87,
114 〔39〕44,151,153
34 贺洪如 〔39〕214,215
43 贺 龙 〔5〕61,62 〔8〕14
－16,27,51 〔9〕47 〔44〕
27,28,62,63,95 〔48〕
63,64
48 贺增龄 〔20〕63
57 贺抒玉 〔34〕115
贺扬灵 〔10〕80,81
60 贺国光 〔6〕48
97 贺耀组 〔30〕12

4690_2 柏

00 柏文蔚 〔3〕16 〔4〕142
〔19〕12,13
10 柏雪木 〔24〕42
47 柏格理(英国) 〔20〕107,
108

4691_2 棍

44 棍楚克苏隆 〔5〕157

4702_7 鸠

00 鸠摩罗什 〔30〕147

4721_2 猛

24 猛特穆 〔29〕96

4722_7 郁

郁 华 〔18〕47,48
34 郁达夫 〔3〕41,42,44－52
〔6〕159,160 〔10〕97

〔12〕15,16,47,141,175 〔21〕37,61-63 〔22〕55-58 〔25〕42,43,51 〔26〕28,29 〔32〕68,69,159 〔33〕49,50,57,58 〔40〕180-182

77 郁　风　〔25〕50,52,92,106,108

郝

37 郝漱玉　〔32〕109,110

38 郝　浴　〔29〕119,120

44 郝梦麟　〔20〕81

4742_7 努

27 努尔哈赤　〔29〕73,83,96,165

4744_0 奴

22 奴比提　〔24〕86,87

4752_0 鞠

60 鞠思敏　〔37〕67

4762_0 胡

00 胡竞先　〔30〕184

胡彦儒　〔29〕56

胡庶华　〔11〕101-103

胡文虎　〔12〕154,155,157 〔13〕97 〔36〕144

10 胡二浪　〔23〕115,116

胡正文　〔30〕185,186

胡正谊　〔22〕44,45

胡亚光　〔41〕50

胡玉山　〔43〕105

胡元倓　〔48〕97

胡石青　〔35〕18

17 胡子昂　〔36〕19,20,141-144

18 胡政之　〔17〕177,178 〔20〕44

胡璇泽　〔38〕34,35

21 胡仁源　〔25〕2

24 胡先骕　〔25〕23,25

胡　魁　〔17〕43,44

胡华松　〔11〕128

25 胡仲文　〔4〕95

胡　传　〔23〕75,76

27 胡尔慥　〔21〕99,100

29 胡秋原　〔22〕105,106

30 胡宝琛　〔5〕95

胡定安 〔6〕58,59
胡宗南 〔16〕31,65〔17〕26, 30, 31, 171 - 174〔34〕79,85,136,141
31 胡运洲 〔14〕45
32 胡 适 〔1〕88,163〔2〕34,35〔3〕45,156〔6〕9〔7〕85, 111, 148 - 152〔8〕34〔9〕28 - 31, 73〔10〕96, 97〔11〕77, 78〔13〕3,18,19〔15〕178 - 180, 196〔16〕92, 93〔18〕40, 71, 119〔22〕107,108〔23〕75〔24〕79〔25〕24,25〔27〕47,48,78,123,124〔28〕39,40,85,86〔31〕53,64〔33〕57,105,106〔37〕4,10,70,76,103,104〔41〕39,42〔42〕57,58
34 胡斗南 〔49〕94
胡汝麟(石青) 〔9〕73,81,84
37 胡汉民 〔1〕44,45,75,93,112〔2〕1〔17〕169,170〔19〕13〔40〕50,65,66,71 - 73,92
胡逸民 〔21〕134,135
40 胡希珍 〔39〕144,145
胡志明 〔8〕44,45〔27〕31 - 33
胡大宝 〔21〕22
43 胡朴安 〔3〕134
44 胡也频 〔7〕25 - 27〔26〕27,28
胡林翼 〔11〕33, 34, 40〔48〕2,3
47 胡 好 〔38〕127
胡根天 〔38〕180,181
50 胡贯之 〔47〕114
54 胡 蝶 〔27〕68,94,95
60 胡固生 〔22〕121
胡景翼 〔30〕77, 102〔35〕12,13
胡景伊 〔47〕22, 24, 25,28,31
72 胡 刚 〔20〕178
77 胡 风 〔22〕12,13〔25〕59
胡又新 〔44〕34

80 胡愈之 〔2〕33,34〔10〕107,108〔18〕39－41
90 胡小石 〔25〕31,33〔36〕47,100

4762_7 都

80 都兰桂 〔26〕176
86 都锦生 〔10〕120,121

4792_0 柳

00 柳文礼 〔33〕43
10 柳亚子 〔1〕87〔2〕83,84〔3〕10〔4〕143,145,147〔12〕88,89〔36〕50,51,155〔38〕129,182〔41〕123－125,146〔49〕134
柳无忌 〔11〕99,100
11 柳非杞 〔41〕145
33 柳诒徵 〔18〕120－122
40 柳大年 〔49〕43,44,103
88 柳　敏 〔8〕21

4792_7 杨

00 杨立生 〔22〕36,37,69,88
杨庄丽 〔9〕140
杨庶堪 见杨沧白
杨　度 〔2〕38,39〔3〕168,169〔4〕59〔11〕5,6,13〔15〕34－36〔22〕116,117〔24〕12〔25〕11〔38〕50,52〔48〕51－53,80,81
杨文恺 〔42〕25,134
05 杨靖宇 〔19〕31,32,50,55,87,132,206〔49〕50,51,140
07 杨　韶 〔34〕42,43
10 杨玉璇 〔12〕160
杨玉山 〔39〕15,16
杨玉田 〔46〕175,176
杨万贵 〔30〕162,163
杨震伟 〔27〕130,131
杨干卿 〔45〕133－135
杨开慧 〔48〕83,136
杨石先 〔41〕177
杨醉乡 〔8〕66,68
杨笑天 〔34〕95,96
12 杨飞霞 〔24〕53,72,74,114
杨瑞符 〔36〕162,163

杨廷宝 〔36〕150
17 杨乃武 〔21〕105〔23〕185〔24〕108
杨翠喜 〔15〕182,183
20 杨秀琼 〔1〕92,93
21 杨绰庵 〔41〕161
杨虎城 〔8〕26,32,52,69,85,94,96,151〔9〕10,11〔16〕9,31,65〔17〕5,19,22,89,109,110,125,126,131〔34〕17,41,68,69,93,130,136,161,162〔36〕11,124
杨衢云 〔12〕45,46
24 杨先礼 〔32〕43
杨德亮 〔45〕11,12
杨德群 〔11〕21,22
25 杨仲子 〔7〕129,130
26 杨绵仲 〔48〕66
杨伯舟 〔20〕25,26
27 杨凤鸣 〔35〕140
杨佩贞 〔11〕191,192
杨粲三 〔47〕62
28 杨以德 〔4〕55,56
杨以增 〔26〕108,109,111
29 杨继高 〔16〕65,66
30 杨宝忠 〔3〕100
杨宛君 〔15〕31,32,59,60
杨永昌 〔6〕113
杨家骆 〔36〕137,138〔47〕71,178,179
杨守敬 〔22〕87,89,92,93,137,139,141〔33〕100,105
杨宇霆 〔29〕26,28,29,31,67,153〔46〕7,20,99,105,158
37 杨　潮 〔12〕48
杨汉卿 〔33〕145
杨闇公 〔47〕48,49
38 杨沧白 〔6〕14,17,18〔36〕42－44,111〔47〕7,8,12,13,18,150
40 杨希尧 〔13〕22
杨杏佛 〔41〕41,42,93
杨大辛 〔13〕4,6,19,21
杨大钧 〔36〕92,93
杨　森 〔6〕22,23,80,119,120,123,128,158,159〔20〕43－45,170,

181
43 杨 杰 〔36〕12
44 杨 芳 〔20〕2 - 4,156,157
杨荫榆 〔7〕73,74
杨葆初 〔22〕63,92,93
杨恭甫 〔33〕173,176
杨慕兰 〔13〕60 - 62
杨世宁 〔12〕7
杨树达 〔11〕105 〔48〕104,132 〔49〕91
杨植霖 〔5〕50,73,74
47 杨 帆 〔36〕96,97
杨鹤庆 〔34〕43,44
48 杨增新 〔16〕18,55,127 〔24〕5,9 - 13,36 - 38,50,52,53,55,68,71,73 - 76,80,114,118,129,132,133,144,148 〔30〕76
杨松林 〔10〕22,23
50 杨聿成 〔44〕9
杨惠之 〔18〕118,119
杨惠敏 〔41〕169 - 171
杨素兰 〔47〕105,106
51 杨振声(金甫、今甫) 〔37〕9,10,15,70
53 杨成绪 〔16〕141,142 〔30〕75
57 杨邦杰 〔11〕89
60 杨国桢 〔6〕61,62
杨 思 〔16〕88,89
杨思盛 〔18〕34
杨思旋 〔16〕21
杨思藩 〔20〕117,130,133
杨昌浚 〔48〕40,41
67 杨 盟 〔2〕169,170
杨昭恕 〔16〕148 - 150
71 杨巨川 〔30〕34,35,80,101
77 杨凤翔 〔19〕59
80 杨全宇 〔3〕157,158
杨令茀 〔46〕61,62
杨善修 〔46〕176
87 杨 铎 〔33〕118,119
88 杨 笃 〔39〕63 - 66
杨 铨 〔1〕84,85
90 杨小楼 〔15〕100,103,104,111,119,129,166 〔25〕56,63,64,168
杨尚昆 〔47〕180

97 杨耀海 〔34〕87,88

4794_7 权

00 权景泉 〔33〕170,171

4796_4 格

34 格达活佛 〔44〕94－96
44 格勒格乔登台吉 〔5〕156

4816_6 增

34 增　禧 〔39〕14,15

4841_7 乾

77 乾隆(弘历) 〔6〕56,108,114,125 〔7〕80,89,105,106,124,131,136,138,166 〔8〕54,74,84,106 〔9〕66,95,97,103,116,183,188 〔10〕8,126

4864_0 敬

71 敬际信 〔19〕2

4895_7 梅

10 梅雨田 〔25〕61
26 梅保善 〔22〕50
30 梅宝璐 〔42〕51
53 梅成栋 〔42〕51
71 梅际郇 〔47〕12,82,158
73 梅贻琦 〔41〕129 〔43〕19,20 〔48〕112
80 梅兰芳 〔1〕61 〔2〕37 〔3〕54,81,89,91,93,99,105,113 〔4〕38,39,150 〔7〕86,88,116,132 〔10〕109 〔11〕117,126 〔12〕96,97,122 〔13〕64 〔14〕68 〔15〕37,51,52,100,103,105,110,113－115,119,120,129,164 〔16〕36,49－51,104 〔17〕63,86,88,94 〔18〕95 〔19〕154,162 〔20〕168 〔22〕129,130,149 〔25〕60,61,64,65,164,168 〔26〕127,128,131,132 〔27〕84,188 〔29〕147,148 〔30〕58,59 〔33〕82,132,136,144 〔35〕124,162 〔38〕69 〔40〕51

4928_0 狄

10 狄平子 〔41〕19,86

4994_4 楼

44 楼英杰 〔24〕93,94

5000_0 丰

17 丰子恺 〔2〕49,50 〔3〕79 〔10〕110,111 〔20〕58,62 〔21〕86 〔27〕45 〔31〕82 – 84 〔33〕50,51 〔36〕81,166 〔41〕22,27,41,55,56,169 〔47〕95,101

44 丰村(冯维典) 〔6〕75,76

5000_6 中

44 中村正雄 〔2〕24

史

10 史一三(振经) 〔8〕69,70

30 史寅恭 〔39〕180

33 史 溥 〔39〕180

34 史 斗 〔39〕180

35 史沫特莱 〔6〕131 〔9〕43,44 〔17〕27 – 29 〔20〕52,53 〔45〕29,30

44 史蒂文森 〔6〕177

5002_7 韦

40 韦 士 〔12〕6,7

45 韦棣华 〔33〕102

53 韦拔群 〔27〕9,10,188

60 韦品方 〔35〕50

5021_2 尧

72 尧乐博斯 〔24〕79

5034_0 寿

07 寿毅成 〔10〕106

10 寿石工 〔7〕81,129

22 寿 山 〔23〕1 – 9,51,184,185 〔25〕192

33 寿 冶 〔39〕198,199

5040_7 麦

02 麦 新 〔18〕41 – 43 〔28〕100,101

10 麦雪姬 〔38〕82

47 麦朝枢 〔40〕66

5044_7 冉

10 冉雪峰　〔33〕178,179

90 冉学甲　〔45〕125

5080_2 贵

31 贵福　〔10〕71,72

5090_4 秦

00 秦彦冲　〔21〕56

10 秦霖熙　〔16〕80

14 秦　瓒　〔43〕50,51

24 秦德纯　〔37〕13

40 秦力山　〔43〕35

51 秦虹云　〔37〕14,16

93 秦　怡　〔36〕74,159

5090_9 泰

53 泰戈尔　〔10〕45,162〔21〕146,147,152－156〔39〕52－54

5106_2 拓

27 拓鲁生　〔20〕69－71

5201_0 扎

21 扎卡里亚　〔24〕8

5300_0 戈

12 戈　登　〔42〕27－29

80 戈公振　〔21〕32,33〔22〕80

5310_2 盛

28 盛鉴亭　〔33〕94,95

30 盛宣怀　〔35〕113

44 盛世才　〔24〕19,20,22－24,56,57,68,69,79,80,82,83,97,100,142,144

72 盛彤笙　〔30〕109

5311_2 蛇

27 蛇仔利(吴岳鹏)　〔40〕121,122

5320_0 成

20 成仿吾　〔37〕3－5

27 成多禄　〔23〕9,30,81－83,85,87

32 成兆才　〔23〕111,112
40 成吉思汗　〔28〕23,25－27,75,89,125－127,138,162,163
80 成舍我　〔18〕144－146

咸

50 咸丰(奕詝)　〔11〕32,131,136,160,176,186〔13〕14,26,81,111,163〔14〕42,85,123,185〔15〕83－85,131,193

5340_0 戒

21 戒　行　〔37〕74,75

5500_0 井

23 井俊起　〔35〕63

5508_0 扶

88 扶馀仇台　〔29〕85

5533_7 慧

15 慧　珠　〔30〕178,179

5560_0 曲

10 曲玉凤　〔6〕109
77 曲同丰　〔3〕7
97 曲焕章　〔43〕28,29

5560_6 曹

00 曹立庵　〔33〕55,123,124
曹庆瑞　〔49〕40
曹文耕　〔42〕23－25
05 曹靖华　〔9〕33,34,59,60,122,186〔36〕165
12 曹廷杰　〔23〕161,162〔49〕24－26,81
14 曹　瑛　〔11〕15
17 曹孟君　见曹瑛
曹孟九　〔37〕30,31
曹聚仁　〔41〕137,138
25 曹秩庆　〔26〕138
28 曹　馥　〔11〕66
34 曹斗宣　〔24〕29
曹汝霖　〔16〕85〔18〕26,27,30,31〔26〕50,51
37 曹鸿年　〔42〕22
曹涵美　〔41〕58,59

40 曹南山 〔33〕165
44 曹荩臣 〔48〕34
曹世岳 〔16〕103
曹蔼荪 〔39〕170
曹树谷 〔39〕256
50 曹寿春 〔14〕65
曹奉昭 〔23〕79
52 曹拙巢 〔41〕49,50
56 曹 操 〔21〕53 〔22〕48－50 〔29〕34,102
60 曹 禺 〔3〕59 〔4〕45,46 〔25〕75,76,80 〔36〕97,98
77 曹月海 〔33〕142
曹印侯 〔8〕23,24 〔17〕2
86 曹 锟 〔3〕130 〔4〕40,41,81 〔12〕45,54 〔15〕75 〔22〕68 〔24〕75 〔34〕35－37 〔42〕134－136,152－154
90 曹火星 〔4〕134
91 曹炳章 〔21〕136

5580₂ 费

17 费 巩 〔21〕43,44
67 费歇尔 〔6〕48
70 费雅邦 〔28〕5
94 费慎祥 〔41〕31,32

5601₀ 担

90 担 当 〔14〕72,79

5701₇ 把

28 把伦托勒 〔49〕41,42

5706₂ 招

17 招子庸 〔1〕62,140 〔40〕93

5798₂ 赖

71 赖际熙 〔38〕122,125

5824₀ 敖

00 敖庆善 〔23〕54,55

6010₃ 国

10 国 璋 〔47〕5,6
44 国栋才 〔46〕171
86 国锡璋 〔46〕171

6020₇ 罗

00 罗　庸　〔43〕52,108
罗文谟　〔44〕73,74,179
罗章龙　〔35〕106
10 罗一士　〔44〕87－89
罗　震　〔9〕52－54
12 罗登义　〔20〕100,106,138
14 罗　瑾　〔18〕44
21 罗卓英　〔31〕95,96〔40〕22
26 罗伯聃(Robert Thom)〔40〕73
27 罗佩金　〔47〕31,33
罗向乔　〔38〕125,126
28 罗　纶　〔44〕36,37
30 罗家伦　〔6〕84〔7〕32〔10〕96〔16〕144,145〔17〕177〔24〕80,100〔25〕22〔30〕93,94〔45〕71,72
40 罗士杰　〔22〕76,77
罗布桑却惮　〔5〕68－70
罗希三　〔41〕175
罗大愚　〔19〕16,17
42 罗斯福　〔1〕164－166〔3〕142〔36〕164
44 罗荣衮　〔33〕61
47 罗杨才　〔12〕7
52 罗哲文　〔28〕54
53 罗武杰　〔2〕108
55 罗典丞　〔33〕88,89
56 罗韫之　〔7〕129
67 罗明佑　〔40〕112,113
77 罗隆基　〔36〕2,124
90 罗常培　〔37〕77〔45〕73
91 罗炳辉　〔14〕11,43,44〔18〕58
97 罗　烽　〔19〕87－89〔49〕140,141,143
罗焕章　〔24〕141,142

6022₇ 易

08 易敦吾　〔27〕112,113
17 易君左　〔12〕88〔17〕89〔18〕100,101
27 易　象　〔11〕9
30 易家钺　见易君左
47 易均室　〔22〕96
50 易中实(顺鼎)　〔11〕53－

56

6030$_3$ 图

26 图伯特 〔24〕45,46

6033$_1$ 黑

10 黑石(BLACKSTONE) 〔2〕91

77 黑 风 〔46〕114,187

6040$_0$ 田

00 田应诏 〔11〕58,59

13 田骏丰 〔30〕9

17 田君亮 〔20〕36,37

27 田名瑜 〔48〕79

37 田 汉 〔2〕81－87,89,188〔3〕46〔4〕146〔5〕101〔11〕23,24,28,81,82,119〔14〕66〔15〕44,64〔17〕57〔18〕92－95〔19〕165〔32〕77,78,159〔36〕60,156〔48〕90－92,111,125,126

37 田 间 〔42〕115,116,119

40 田 贲 〔46〕35,186,187

50 田中角荣(日本) 〔33〕126,127

田中照子(日本) 〔34〕58－60

55 田耕莘 〔26〕155,156

60 田景福 〔39〕126,127

80 田益荣 〔17〕97,98

90 田兴华 〔34〕109,110

田兴恕 〔11〕3－5

6040$_4$ 晏

64 晏勋甫 〔33〕53,54

6060$_0$ 吕

00 吕彦直 〔38〕31,32〔40〕151,152

吕文成 〔40〕130

10 吕天民 见吕志伊

37 吕汉民 〔17〕65

40 吕志伊 〔14〕4,5〔43〕3,5

53 吕成瀚 〔12〕182,183

77 吕凤子 〔18〕112

80 吕镜楼 〔37〕64

吕公望 〔3〕132〔49〕70,

71
吕美玉 〔21〕137,138

冒

47 冒鹤亭 〔25〕145,146 〔41〕23,24,46,47,127,128

6080_4 吴

02 吴 新 〔42〕159,160
吴新田 〔8〕95 〔34〕37,38
08 吴 旋 〔18〕43,44
10 吴玉章 〔6〕15,38,44,131 〔7〕18 〔10〕49 〔34〕99,100,140
吴玉如 〔42〕129
吴玉光 〔23〕23,24
吴百亨 〔10〕15
吴可读 〔15〕86 〔16〕136
吴霭航 〔32〕41
吴云峰 〔6〕113
12 吴瑞燕 〔7〕79
17 吴承仕 〔32〕67,68
吴君毅 〔6〕53 〔44〕77
20 吴稚晖 〔1〕20,74,75 〔3〕146,160 〔21〕132 〔22〕70,71 〔25〕9,10,13,15 〔32〕132 〔44〕182
21 吴虎头 〔20〕29,30
23 吴俊升 〔29〕21,31,36,126,133,134
24 吴先梅 〔7〕6,7
吴德施 〔33〕44,45
吴德先 〔43〕81
25 吴仲超 〔29〕112
26 吴伯箫 〔26〕39,40
27 吴佩孚 〔3〕7,8,127,128,130,190 〔4〕81,161,162 〔5〕8,34 〔6〕16,23,110,111,119 〔7〕46,52 〔9〕4-6,12,14,26,27,105,140 〔11〕75 〔12〕75 〔13〕75 〔16〕61,64,65 〔17〕18,20,22 〔19〕74 〔22〕67,68,187 〔25〕4,124 〔33〕24,26,27,29,38,39,61,82,134 〔35〕10,14,15,45,46,75,122 〔37〕22 〔41〕140,141

〔42〕26,134,136〔45〕15,16

29 吴继兰 〔14〕64

30 吴宥三 〔47〕137

吴永茂 〔29〕175,176

吴家禄 〔4〕35

吴之英 〔6〕123,175

吴 宓 〔8〕63-65〔16〕53〔17〕10,11〔47〕47,85

吴宗慈 〔31〕16,84,97,98

31 吴福申 〔45〕45

32 吴兆麟 〔33〕46

吴兆骞 〔49〕62-64

34 吴 满 〔40〕173

吴法鼎 〔35〕64-66

吴汝纶 〔32〕62,109〔38〕30

37 吴湖帆 〔3〕12,13,70,81〔41〕46,85,87,169

吴禄贞 〔19〕11,12,218,219〔25〕117-119

40 吴大澂 〔19〕215-218〔49〕7,8,26-30,41,42,81,105

吴大猷 〔38〕153

44 吴芳吉 〔6〕86〔47〕25,35,36,47,70,85,89,90,119

吴菊芳 〔4〕154-158

吴芝瑛 〔32〕29,30

吴芝圃 〔9〕2,4,15,16

吴世璠 〔23〕168

吴楚帆 〔40〕136

45 吴棣棻 〔30〕68

47 吴獬(凤苏) 〔11〕72,73,75

吴 桐 〔5〕76〔28〕114-117

48 吴敬梓 〔32〕138

吴 梅 〔18〕95-99〔25〕32

50 吴惠元 〔13〕14

吴忠信 〔24〕25,26,63,78

吴素秋 〔26〕128〔49〕158

53 吴盛美 〔12〕187

60 吴国桢 〔22〕8,9〔33〕14,15〔41〕133,134,161

吴蜀奇 〔47〕137

吴昌硕 〔3〕12,84〔10〕109,110〔21〕15,16,35,74,75,80〔22〕129,142〔23〕101〔40〕40〔41〕49,108
吴　昆 〔22〕51
65 吴晓邦 〔2〕79,80
66 吴瞿安 〔10〕141
68 吴　晗 〔14〕42,43〔30〕36,37
71 吴雁明 〔45〕100,101
77 吴　凤 〔12〕145,146
80 吴镜汀 〔4〕141
吴　镐 〔6〕103〔47〕4
吴公阜 〔21〕102
85 吴铁城 〔41〕158
88 吴敛之 〔15〕116
90 吴　棠 〔6〕109,110

6090_4 果

12 果　瑶 〔20〕77,78

6090_6 景

30 景定成 〔39〕8
48 景梅九 〔17〕87,158,159,166,167〔39〕171
50 景　寿 〔24〕85

6090_9 暴

22 暴利长 〔16〕129,130

6101_4 旺

47 旺都特那穆济勒 〔5〕3

6105_3 嘎

50 嘎拉僧普日来扎木苏 〔28〕86

6240_0 别

12 别廷芳 〔9〕36,131〔35〕28,29,54－56

6400_0 叶

10 叶丁易 〔30〕55
14 叶　琪 〔2〕20
17 叶君健 〔7〕23〔15〕177
24 叶德辉 〔7〕14〔11〕124,125
33 叶浅予 〔6〕55〔7〕77
35 叶清泉 〔12〕7

40 叶左文 〔21〕53
叶大丰 〔44〕46
44 叶赫那拉氏·仰曦 〔7〕71
叶恭绰 〔1〕89,175〔3〕70〔38〕115
叶楚伧 〔3〕147〔9〕14〔10〕44〔41〕93,157
50 叶春善 〔25〕66-68
52 叶 挺 〔22〕16-18〔33〕30,31〔40〕10,11
67 叶嗣高 〔37〕107,108,148
70 叶璧华 〔38〕154,155
77 叶圣陶 〔6〕54〔20〕92〔23〕71,72〔25〕1
80 叶公超 〔39〕120,121〔41〕176
82 叶剑英 〔11〕28〔14〕7〔15〕49-51
88 叶笃慎 〔42〕47,48
90 叶小蘅 〔37〕146,147
97 叶焕文 〔6〕173,174

6501_2 晓

00 晓斋主人 见王寿昌

6508_0 映

30 映 空 〔14〕8,9

6621_5 瞿

10 瞿百阶 〔11〕29,30
29 瞿秋白 〔3〕118,119
43 瞿式耜 〔27〕66
60 瞿圆初 〔26〕9,10

6702_0 明

40 明义士 〔26〕117-119

6716_4 路

40 路友于 〔7〕4-6
路大遵 〔17〕161〔28〕134
60 路国华 〔29〕78,79
路易·艾黎 〔9〕46

6722_7 鄂

44 鄂其尔呼雅克图 〔5〕88,89

6802_1 喻

25 喻传鉴 〔36〕6,105,106

30 喻宜萱 〔30〕123
40 喻培伦 〔38〕7,101

6806_1 哈

40 哈 奎 〔5〕114－116
42 哈长英 〔15〕110,111
77 哈 同 〔1〕93 〔3〕102,132,162 〔41〕181
哈贝子 〔29〕99,100
88 哈 锐 〔30〕35

7121_2 阮

10 阮 元 〔1〕8,9
18 阮玲玉 〔25〕70,71

7122_0 阿

10 阿万春 〔39〕16
阿西姆·阿吉 〔24〕69,70
42 阿斯密(德国) 〔47〕77,78
50 阿拉坦汗 〔28〕104,105
80 阿年科夫 〔16〕26,127

7122_7 厉

00 厉彦芝 〔36〕75
40 厉大森 〔4〕90

7128_2 顾

10 顾元勋 〔29〕53
12 顾廷龙 〔49〕7,8
顾水如 〔7〕48 〔25〕173,175－179
17 顾孟馀 〔10〕48－50
20 顾维钧 〔41〕132,141
34 顾汝章 〔20〕171
36 顾祝同 〔9〕18,42 〔10〕80,107 〔21〕11 〔22〕69 〔25〕159,160
40 顾太清 〔1〕40
41 顾颉刚 〔9〕92 〔16〕152 〔18〕118－120 〔30〕85,110,111
60 顾品珍 〔14〕32
71 顾际盛 〔28〕93
74 顾 随 〔42〕85,86
88 顾从义 〔13〕39－41

7129_6 原

91 原恒瑞 〔35〕168,169

7171_1 匡

10 匡互生 〔18〕26,27

25 匡仲谋 〔3〕183

64 匡 时 〔24〕11,12

7171_4 区

44 区笠翁 〔2〕3,4

7210_2 丘

37 丘逢甲 〔1〕51,67,68,101,149,179

40 丘东平 〔18〕52

53 丘 咸 〔28〕80

7220_0 刚

07 刚 毅 〔15〕183-185

7277_2 岳

17 岳 飞 〔31〕134,135,160

7290_4 乐

40 乐森玙 〔20〕84,85

48 乐松生 〔15〕122

60 乐景涛 〔28〕35,36

7386_0 贻

80 贻 谷 〔28〕106,107

7420_0 尉

40 尉 嘉 〔39〕248

7429_4 陈

00 陈立夫 〔6〕60 〔9〕17,110,111 〔10〕48-50 〔12〕130,138 〔45〕70,71,82

陈彦衡 〔6〕95 〔10〕109,110

陈方格 〔31〕45

陈廉伯 〔38〕47

陈 赓 〔29〕81,82

陈庆云 〔31〕31,32

陈 康 〔20〕95,96

陈亦侯 〔4〕94

02 陈端友 〔41〕171

陈端林 〔44〕79

07 陈望道 〔21〕44,45 〔22〕104,105 〔36〕25,101-103

陈　毅　〔6〕88，89〔7〕121〔18〕52，54，55，129〔31〕6，7〔36〕41，42〔41〕168，169
10 陈一得　〔14〕52，53
陈三立　〔31〕45，57，93，142，164
陈万里　〔16〕125，126〔18〕118，120
陈雨门　〔35〕82，83，137，138，141－143，145－147
陈雨农　〔17〕44，86
陈干臣　〔38〕80
陈　开　〔1〕10，11〔2〕52，53，80，82，84，188
陈石遗　〔41〕23
陈可钰　〔40〕10，11
12 陈飞青　〔23〕178
陈瑞林　〔6〕15
陈廷杰　〔47〕28
陈延年　〔37〕23〔40〕41，42
17 陈孟熙　〔36〕41，42
陈�娜　见陈小翠
陈子庄　〔47〕99－102
20 陈重寅　〔36〕108
陈乔年　〔37〕23
21 陈师曾　〔7〕20，21，81
陈步高　〔2〕58
陈　衍　〔33〕115，116
陈衍庶　〔32〕111，114
22 陈崇功　〔47〕12，21
24 陈纳德　〔31〕38，39
陈　仪　〔12〕9，14－16，52，53，82，83，96，101，130，132〔13〕110
陈德沛　〔42〕163，169
陈勉畬　〔1〕107
陈幼南　〔38〕171
26 陈白澄　〔7〕35
陈伯华　〔33〕138
陈伯遵　〔47〕61
27 陈绍禹　见王明
陈绍宽　〔49〕16，17
陈向平　〔10〕23，24
陈务斋　〔2〕167，168
29 陈继昌　〔2〕61，62
陈秋草　〔3〕85
30 陈宝琛　〔12〕39，41，43，61，85，98，122，137，141，

147,174 〔13〕44,103 〔15〕133 〔19〕85－87
陈宝仓 〔37〕39,40
陈济棠 〔38〕53,61,63,166 〔40〕17－20,49,65,66,155,156,173,177
陈永德 〔18〕41
陈家康 〔31〕98
陈之佛 〔46〕69
陈　宧 〔7〕55
陈寅恪 〔3〕143 〔4〕160 〔14〕111 〔36〕44 〔40〕60,61
31 陈　沅 〔11〕129
陈潭秋 〔41〕110,111
陈渠珍 〔48〕53,54
32 陈兆锵 〔12〕127
陈礼江 〔31〕76,77
33 陈浅伦 〔8〕85－87 〔34〕157
陈　治 〔12〕113
陈治言 〔14〕76
陈治策 〔22〕155 〔25〕151
陈觷宸 〔21〕46,47,79
陈　诚 〔3〕138,160 〔5〕20,21,75 〔22〕24－26,71－74 〔29〕69－71 〔36〕156
34 陈述叔 〔1〕48,49
陈诗南 〔49〕112
37 陈洵(述叔) 〔40〕81
陈鸿寿(曼生) 〔6〕93
陈淑芳 〔48〕172
陈泽民 〔13〕25,26
陈逸飞 〔15〕112,113
陈迩冬 〔2〕52,53,74,75
陈调元 〔42〕25－27
陈调甫 〔4〕114
40 陈奎生 〔48〕166,167
陈布雷 〔10〕29,30,43,49,93 〔36〕8－10,58 〔41〕135,136
陈有利 〔38〕166
陈志仁 〔28〕94－96
陈友仁 〔3〕146 〔33〕31,32
陈　嘉 〔2〕148,149 〔3〕8 〔4〕20,44,71,122,124,164

陈嘉庚 〔12〕53,66,128－131,152,153〔13〕97〔30〕39,40〔38〕92,93
陈嘉祥 〔42〕43,163,169,174,180
陈嘉钧 〔48〕169,174
陈大齐 〔12〕23,24
陈大濩 〔3〕99
陈大年 〔38〕118,119
41 陈　垣 〔7〕160,161〔13〕1,2〔15〕40
42 陈斯白 〔18〕45
44 陈梦雷 〔17〕80
陈梦熊 〔21〕20
陈芳琳 〔6〕149
陈荫甫 〔18〕152
陈燕贻 〔7〕33
陈孝威 〔41〕160,161
陈楚湘 〔21〕137
陈其瑗 〔38〕128,129
陈英士 〔6〕18〔10〕75,76,133
陈树藩 〔7〕55〔8〕95〔34〕24,39,84,125,126
陈树勋 〔2〕6
陈树人 〔1〕55,56,90〔38〕27,28〔40〕43
陈荣衮 〔1〕110
陈荣昌 〔14〕21,22,72,73
陈独秀 〔4〕142〔5〕15〔3〕70,71,123〔18〕24－26,106〔19〕12,13,127〔25〕9,10,18,23〔32〕2,3,64,65,78,103,110,111,114,143,159〔36〕14,15,49,50,55,133〔38〕148－150〔41〕18,19,45,111－113〔44〕8,9,178
47 陈郁兰 〔3〕146
48 陈翰伯 〔4〕72
陈松山 〔20〕66
陈松坪 〔9〕178,179
50 陈春福 〔31〕103
陈素真 〔9〕153－158〔35〕71,72,89,155,156,158,159,161,163－165
陈　泰 〔16〕51,52
52 陈　虬 〔21〕46,47,79
陈拙儒 〔7〕131

53 陈书舫 〔36〕77,78
54 陈蝶仙 〔3〕13,181〔21〕40,41〔41〕43
60 陈国瑞 〔49〕67,68
陈 四 〔28〕153,154
陈果夫 〔9〕109,110〔10〕54-57,75
陈景华 〔38〕13,14〔40〕11,12,31,32
66 陈器成 〔21〕100
67 陈明亮 〔43〕42
陈明仁 〔6〕96,97
70 陈璧君 〔31〕52,53〔40〕108,166-168
80 陈兰彬 〔38〕93,94,138
陈 鑫 〔9〕173
陈 复 〔40〕43
陈夔龙 〔9〕51
陈夔典 〔10〕119,120
陈善同 〔35〕45,46
陈镜湖 〔29〕131
陈公博 〔31〕52,53〔40〕61-63
81 陈 矩 〔20〕56
85 陈钟书 〔43〕42
87 陈翔鹤 〔44〕11,12
陈铭德 〔3〕35,61
陈铭枢(真如) 〔12〕2-4,88
88 陈笑石 〔12〕56
90 陈小旺 〔35〕172
陈小翠 〔3〕13〔21〕40
陈少白 〔1〕60,100〔40〕67-69
陈少梅 〔13〕30
陈光宗 〔2〕43,51,63,91,121,151,170,188
陈光远 〔42〕174
陈光鑫 〔6〕128
陈学文 〔34〕104
陈半丁 〔7〕77,84,153,154〔13〕59〔15〕175,196
91 陈怀民 〔33〕41,42
陈炳奎 〔30〕78,79
94 陈慎言 〔15〕105,106〔25〕57,58
96 陈惕庐 〔41〕6
97 陈炯明 〔1〕15,20-22,76,79,80,100〔2〕166

〔38〕8, 39, 42, 44, 110, 134, 135, 148, 151, 153 〔40〕1, 3–6, 8, 9, 12, 56, 69, 70, 117

7527$_2$ 陆

10 陆平(法国) 〔49〕211, 212
21 陆占山 〔48〕171, 172
32 陆礼华 〔41〕117, 186
33 陆 诒 〔2〕146〔3〕163
34 陆洪涛 〔30〕2, 3, 34
37 陆鸿年 〔7〕75
40 陆士谔 〔41〕44
44 陆范九 〔45〕53
陆荪畦 〔3〕15
陆荣廷 〔27〕10, 111, 142, 143, 181
50 陆青云 〔36〕95, 96
80 陆善格 〔29〕150–152

7620$_0$ 阳

30 阳启文 〔27〕11
48 阳翰笙 〔36〕72

7712$_7$ 邱

07 邱韵芳 〔12〕80
30 邱之稑 〔48〕114, 132
77 邱 熙 〔40〕154
96 邱烟云 〔45〕95

7721$_0$ 凤

47 凤朝瑞 〔39〕203
87 凤 翔 〔22〕66, 110

7721$_2$ 尼

10 尼可逊 〔4〕117
44 尼赫鲁(印度) 〔3〕105, 106〔21〕153–156

7722$_0$ 月

30 月 空 〔10〕73, 74
67 月明珠 〔42〕38, 39〔46〕3, 152–154

同

33 同治(载淳) 〔21〕105, 117〔22〕2, 79, 80, 122, 158〔23〕54, 158, 186,

187,196〔24〕129〔25〕18,126

周

00 周立波〔48〕89,90
周广庆〔22〕155
08 周敦祥〔11〕17
10 周震麟〔19〕26
周西成〔20〕16,17,33－36,89,169
周云舫〔41〕63
周　霖〔43〕84
12 周瑞安〔15〕103,104
17 周子樾〔35〕94
18 周　璇〔41〕74,75
20 周信芳(麒麟童)〔42〕30,31,49,50
21 周鲠生〔33〕73,105,106
周贞亮〔33〕99
22 周任之〔47〕174
周巍峙〔42〕115,119
周紫云〔13〕74,75
23 周俟松〔18〕26,34,109,140,167
25 周纯卿〔41〕104
周伟呈〔35〕81
周仲宣〔33〕166－168
周仲铮〔42〕155,157
27 周叔弢〔32〕13,14
28 周作民〔3〕6,7〔4〕96,98,118－120
周作人〔4〕124,125,164〔39〕47,121,122,265
30 周　实〔18〕90,91
31 周福清〔8〕125－127
周　让〔13〕48,49
35 周沛然〔28〕48
周　清〔10〕150－152
36 周　湘〔3〕24,80,162
周湘云〔41〕83,184
37 周逸群〔20〕32,33,59
38 周祥生〔3〕184
40 周　义〔11〕189－191
周克强〔32〕114
周希才〔42〕74
周希武〔16〕27,28
44 周勤学〔9〕2〔35〕102,104
周梦文〔32〕91
周茂善〔5〕22

周慕桥 〔41〕61
周世钊 〔48〕100,113,119
周树模 〔49〕9,10
周荣九 〔5〕38,39
周素园 〔20〕21,22,30,49
55 周井亭 〔3〕180
57 周邦道 〔31〕69,70,85
60 周恩来 〔1〕37 〔2〕39,44 〔3〕10,106 〔4〕14,103 〔5〕20,21 〔7〕23,24,118,120,121 〔8〕4,28,43,91 〔9〕57,188 〔10〕9,88,111 〔11〕28 〔14〕10 〔15〕2,5,7,35,36 〔17〕29,30,83,160,161 〔19〕35,36,121 – 126 〔20〕50,79,168 〔21〕36,42 〔22〕16,116 〔23〕46 〔24〕57,58,184 〔25〕111 〔27〕9,52 – 54,62,105,166 〔29〕75,119,122,123 〔33〕42,44,45,55,58,74,75,138 〔34〕3,5,81,113,170,171 〔36〕1 – 7,11,14,25 – 27,58,73,104,108,111,125,130,134,144,152,153,155,156 〔40〕5,6,16,24,25,141,179 〔42〕1 – 5,13,34,36 〔46〕47,48,50 – 54
64 周勋岑 〔45〕120
73 周贻春 〔20〕105
77 周履安 〔37〕13
周贯明 〔40〕13,14
80 周弟龙 〔6〕128
周养庵 〔15〕98,99
周谷城 〔48〕100
82 周剑云 〔41〕72 – 74
85 周钟岳 〔14〕41,72,86 〔43〕39,64,169
周铁山 〔11〕112
87 周钦岳 〔36〕122,125,126
88 周铨庵 〔42〕39
90 周小舟 〔11〕82,83
周少楼 〔46〕146 – 148
周 尚 〔18〕28,31,167
周学熙 〔42〕7
91 周炳南 〔16〕127,128
97 周耀南 〔20〕165,166

陶

17 陶孟和 〔13〕3
21 陶行知 〔18〕39－41,72,74,92,93,137,139,140,157,168〔20〕85－87,181〔22〕131,132〔32〕4,5,159〔36〕25,86,107,108,113,124,155,156〔37〕64,65〔38〕145,146〔39〕47,51,52,56〔47〕68,73,98〔49〕19
24 陶德琨 〔18〕4,7,168
陶峙岳 〔48〕26,27
30 陶家瑶 〔41〕178,179〔42〕171
34 陶 澍 〔48〕1－3,132
40 陶克涛胡 〔28〕109,110
陶希圣 〔22〕12,13
44 陶世熙 〔6〕125
陶桂林 〔18〕86,87,168
陶 模 〔38〕44,45
50 陶春甫 〔33〕146,147
51 陶振武 〔32〕50,51,53,54
77 陶履谦 〔31〕48
85 陶 铸 〔8〕9,10

7726_4 居

10 居 正 〔22〕8,32,33,43,44,107,108〔25〕102－104〔33〕66
22 居 巢 〔38〕183
43 居辅臣 〔12〕102

屠

30 屠 寄 〔49〕34,35

7727_2 屈

44 屈桂庭 〔15〕145
65 屈映光 〔21〕48,49

7744_2 段

10 段正兴 〔14〕89
24 段 续 〔16〕131
26 段绳武 〔5〕74,75〔36〕13,14
34 段凌辰 〔9〕63
段祺瑞 〔4〕10,32,33,39,55,81－83,149〔5〕7,8

〔6〕16－18〔7〕5,48,52,66,67,113,169〔9〕5,105〔10〕87〔11〕20－22〔12〕42,54〔14〕25,26〔15〕74〔21〕47〔23〕88,178〔24〕34〔25〕9,121,122,173〔32〕49,51,68,141－143

7771, 巴

00 巴立地　〔29〕57
10 巴玉藻　〔5〕80－82
　巴云英(德力格乐)　〔5〕56,58,59
24 巴什拜　〔24〕120,121
71 巴　厘　〔13〕73,74

7772₀ 印

10 印　云　〔11〕28〔48〕64,65

7778₂ 欧

00 欧　新　〔1〕12
10 欧元怀　〔10〕105〔12〕129
76 欧阳竟无　〔36〕14,138〔41〕111－113
76 欧阳予倩　〔2〕19,36,37,75,77,79,84,86,89〔3〕57,190〔4〕146〔11〕116,117,122〔27〕54,55,69,70,91,93,98〔33〕132,133〔34〕108,109〔40〕125,126
　欧阳渐　〔31〕61
　欧阳格　〔47〕53,54
82 欧　钊　〔1〕91,92

7780₂ 贯

40 贯大元　〔7〕86,87,116

7929₃ 滕

60 滕　固　〔46〕74

8010₂ 盖

10 盖玉亭　〔45〕104－106
64 盖叫天　〔3〕95－97,114

8010₉ 金

10 金正义　〔5〕153

金玉冈 〔4〕15,16
12 金北楼 〔15〕98,99
20 金维坚 〔10〕121,122
22 金　山 〔27〕90
23 金允诚 〔5〕96,97
26 金伯阳 〔23〕62,63
33 金　梁 〔46〕58-61
34 金满成 〔36〕66,67,74,122,125,126
44 金树仁 〔24〕16,17,56,72,77,78,80-82,144
金桂山 〔42〕140
50 金寿民 〔32〕109,110
77 金殿选 〔41〕4,5
80 金　人 〔49〕136,140,142-144
金善宝 〔39〕31
金曾澄 〔38〕35
金毓黻 〔46〕65,67
82 金剑啸 〔19〕87-89〔23〕60,61,63,64,120,121
88 金简承 〔7〕136
90 金少山 〔15〕103,111,188〔22〕153
金学成 〔3〕33,34

8012, 翁

00 翁文灏 〔18〕37,116〔20〕96〔24〕20,21〔36〕32,38,159
48 翁敬棠 〔12〕53,54
77 翁同龢 〔15〕133,189,191

蓊

12 蓊登贝 〔11〕166
26 蓊伯赞 〔11〕166〔36〕15,16,84,156
80 蓊八士 〔11〕165,166

8022, 俞

00 俞庆棠 〔18〕76-78,168
10 俞平伯 〔13〕11,62
17 俞　珊 〔46〕72,73
24 俞　德 〔11〕177
34 俞达夫 〔3〕84
37 俞鸿冠 〔3〕115
43 俞　樾 〔23〕93,94〔25〕27
44 俞菊笙 〔25〕63

51 俞振飞 〔44〕74
55 俞曲园 〔4〕49 〔10〕32 〔21〕76 〔25〕26,28 〔42〕22,56
77 俞凤岗 〔6〕119,120

8033₃ 慈

34 慈 禧 〔2〕149,151 〔4〕25,62,63,84,151 〔5〕8,157,158 〔6〕78 〔7〕158,159,166,167 〔8〕53,54,79,80,101,115－117,125－127,132,133,135,136 〔9〕21－23,94－97,116,150,176 〔10〕93 〔11〕40 〔12〕44,50,60 〔15〕19,38,82－84,87,88,104,144,165,167,171,183,193,194 〔16〕17,19,42,44,47,50,83,136 〔17〕1,14,15,41,107,108,165 〔19〕4,103,104,118 〔20〕13,58,59 〔21〕1－4 〔22〕5 〔23〕186 〔24〕67 〔25〕13,115 〔29〕3,8,173 〔38〕48,70,83 〔39〕250,251,258

8040₄ 姜

45 姜椿芳 〔49〕50,140,143

8060₁ 善

44 善 耆 〔15〕151 〔29〕17,48

8060₆ 曾

00 曾 彦 〔2〕164,165
10 曾一之 〔31〕84
14 曾 琦 〔6〕37,39,53,54 〔44〕177,178
17 曾习经 〔38〕17,18
20 曾 鲸 〔21〕100
30 曾宝臣 〔39〕168
曾宪圣 〔20〕110
31 曾福谦 〔12〕158
曾运乾 〔48〕104
34 曾 祺 〔29〕4
37 曾问吾 〔24〕62－64,184
40 曾吉芝 〔36〕43 〔47〕82,83

43 曾　朴　〔3〕51,52
60 曾国荃　〔16〕43〔18〕88〔20〕179
曾国藩　〔11〕32,33,72,92,94〔27〕37,79,80〔38〕30,135,137,172〔48〕33,37－39,115,132,134,135,143,177
67 曾昭文　〔9〕121
80 曾养甫　〔43〕53

8060_8 谷

10 谷正(日本)　〔46〕23
谷正纲　〔27〕13
谷正伦　〔16〕68,69,91,92〔20〕24,86,103
46 谷如墉　〔39〕216,217

8071_2 毓

27 毓　嵣　〔19〕75,76
毓　贤　〔16〕16,17〔26〕93

8080_4 关

00 关广槐　〔2〕151
09 关麟征　〔34〕74,96,130,131
23 关俊彦　〔19〕137
24 关德山　〔28〕116
关德兴(新靓就)　〔2〕89〔27〕86,87
26 关伯益　〔9〕64
27 关向应　〔29〕81,82
30 关宏达　〔23〕122
关　良　〔41〕67
40 关吉罡　〔18〕146－148

8090_4 余

10 余三胜　〔32〕121,122
余云岫　〔47〕8
15 余建勋　〔43〕45
21 余叔岩　〔3〕88,99,100〔4〕38,39,151〔46〕141,142
22 余任天　〔10〕114,115,121,122
余鼎铭　〔45〕122,128
27 余绍宋　〔21〕42,84,85
余叔岩　〔3〕88,99,100〔4〕38,39,151〔7〕88

〔13〕64,65 〔15〕119－121 〔25〕61,62 〔35〕162 〔41〕143 〔42〕13,17,30 〔45〕90 〔46〕141,142
33 余心清 〔39〕40
34 余洪元 〔22〕152
37 余汉谋 〔40〕19,20,57
40 余东雄 〔40〕8,9
44 余栋臣 〔47〕7,10
60 余日章 〔33〕16

8171_3 钰

17 钰灵芝 〔46〕7,8,157,158,160,163

8375_0 钱

00 钱玄同 〔7〕111 〔9〕30,32 〔10〕93,94 〔21〕29 〔25〕4
24 钱化佛 〔41〕64,70
26 钱　穆 〔39〕62 〔44〕24－26
27 钱名山 〔3〕71 〔41〕82
30 钱宝森 〔15〕102,103
32 钱澄之 〔18〕102
35 钱　沣 〔43〕168
40 钱吉生 〔3〕84
44 钱基博 〔49〕93
钱葆青 〔22〕121,141
钱荣升 〔35〕123
47 钱鹤滩 〔7〕91
50 钱泰吉 〔49〕201
51 钱振远 〔37〕135
82 钱剑夫 〔41〕16

8570_6 钟

07 钟　毅 〔2〕17
10 钟石顽 〔19〕113,114
24 钟　德 〔1〕62－64
26 钟伯谦 〔11〕110

8571_2 饶

80 饶毓泰 〔31〕79,80

8660_0 智

00 智　亮 〔10〕132,133
15 智建中 〔49〕89,90

8672_7 锡

30 锡　良 〔6〕164

8762₂ 舒

02 舒新城 〔48〕84,85,99

18 舒　群 〔23〕48,63,64

22 舒绣文 〔15〕63,65

44 舒地嘉 〔10〕82

80 舒舍予 见老舍

8771₂ 钮

80 钮介臣 〔10〕59

8782₇ 郑

00 郑　庠 〔8〕97

10 郑正秋 〔41〕70,71,77

17 郑　珊 〔32〕106,107

郑观应 〔27〕132,133

郑君里 〔41〕78,79

20 郑位三 〔8〕47,49

21 郑贞文 〔12〕98,101

22 郑柴翁 〔20〕57

24 郑德芬 〔1〕176

26 郑伯英 〔44〕12,178

郑　和 〔12〕63,111

29 郑继成 〔37〕32,33

37 郑洞国 〔31〕29

郑淑云 见鲜灵霞

郑祖纬 〔21〕87,88

39 郑沙梅 〔12〕100

40 郑士纯 〔49〕79,80

郑士良(弼臣) 〔1〕109

郑有仁 〔29〕103

郑东华 〔33〕139

42 郑板桥 〔39〕98,248,249

43 郑　樾 〔41〕11

44 郑献甫 〔2〕41,42

郑孝胥 〔12〕39,41,42,53,122 〔15〕190,191 〔19〕67－72,84,86,90 〔31〕63 〔46〕31－34

郑孝崧 〔12〕43

郑孝柽 〔12〕84

郑苹如 〔41〕12

郑菊如 〔13〕91,99

47 郑超凡 〔12〕65

48 郑松泉 〔10〕120

50 郑春发 〔12〕172,173

51 郑振铎 〔10〕101 〔11〕119 〔12〕67 〔15〕154,155 〔21〕66 〔25〕44,45

53 郑成功 〔12〕63,86,117,

118,144,149
60 郑曼陀 〔41〕61
80 郑午昌 〔1〕83 〔3〕74,81
82 郑剑西 〔9〕156 〔10〕109,110
90 郑小秋 〔12〕65

8810_1 竺

10 竺可桢 〔11〕69 〔15〕27,28,196 〔20〕91,92,97,106 〔21〕43,57 〔25〕24 〔31〕73,74

8822_7 简

00 简 立 〔14〕12
67 简照南 〔3〕25,26

8824_3 符

26 符保卢 〔11〕64,65 〔13〕96 〔23〕68－70,122

8824_8 筱

00 筱摩登 〔46〕160,161
筱桂花 〔19〕155,162－164 〔46〕12,151,153,159,160,163,165,166
46 筱柏岩 〔19〕164,165
77 筱凤仙 〔29〕147,148
80 筱兰芬 〔23〕114

8873_2 铃

40 铃木太郎 〔42〕143

8877_7 管

00 管文蔚 〔49〕129

9000_0 小

12 小飞燕 〔27〕98,99
67 小明星(邓曼薇) 〔40〕128,129
77 小凤仙 〔15〕36－38 〔32〕66

9021_2 光

24 光绪(载湉) 〔6〕13,32,40,41,65,69,78,110,163,164,166,169,173 〔7〕69,70,73－75,88,90,102,103,127,137,157,158,166,167 〔8〕

11,25,53,54,75,79,81,93,100－102,115,123,125－127,132,133,136〔9〕21,23,46,50,51,64,73,75,79,85,94,95,111,116,119,160,172,174,176,178－180,188〔10〕15,33,35,42,59,63,69,70,92,93,109,125,131,162〔11〕1,12,37,39－42,44,53,72－75,97,124－126,132,139,177,180,183,186〔12〕20,26,34,44,48,60,67－69,74,81,84－86,91,104,115,121,125,148,158,161,166,169,170,180,187〔13〕15,26,29,69,88,89,99,103－105,148〔14〕1,2,21,22,36,64,87,99,123,185,187〔15〕19,27,38,73,81－83,87,94,104,122,123,140,141,144,145,149,151,153,165,181,182,192〔16〕14,16,18－20,42－48,50,51,54－56,76,80,83,95,111,112,127,132,134－137,140－142,150,153,165,173〔17〕1,2,13,15,40,41,43,56,107,108,118,163,166〔18〕1,12,25,102,117,133,150,151,164〔19〕4,11,24,25,34,45,59,78,90,106,107,113－115,118,119,125,143－145,152－154,159,193,207,208,213,215－217,220〔20〕6,7,9－11,13,23,25,29,30,56,58,66,68,74,80,82,139,146,163〔29〕3－8,11,13,15,54,67,101,103,107,115,116,125,132,139,143,148,151,154,177

50 光未然 〔46〕115

觉

37 觉　初 〔47〕168

党

30 党家驹 〔30〕188

65 党晴梵 〔34〕72,91

9022_7 尚

10 尚可喜 〔40〕110

尚云祥 〔37〕112,113

20 尚秉和 〔26〕24,104

83 尚　钺 〔19〕127,132,133

90 尚小云 〔34〕117

肖

20 肖秀龙 〔28〕105

43 肖龙友 〔44〕29,30

44 肖桂藩 〔17〕16,17

常

20 常香玉 〔9〕73,153,157,158 〔30〕122

24 常赞春 〔39〕63,97,98

27 常盘大定 〔39〕193,194

30 常宗会 〔32〕6,7

34 常连安 〔15〕186,187

37 常淑清 〔41〕29,30

40 常有为 〔27〕179

46 常旭春 〔39〕63

60 常恩多 〔19〕32,33

9090_4 米

44 米　芾 〔22〕147

9101_6 恒

27 恒　久 〔6〕106 〔9〕59

30 恒宝昆 〔29〕8, 9, 18 〔46〕17,18,181

9705_4 恽

23 恽代英 〔3〕120

37 恽逸群 〔3〕28,33

9708_2 懒

91 懒　悟 〔32〕111,112

一套别出心裁的好丛书

王子野

一桌丰盛的宴席，少不了海参、鱼翅、鸡、鸭、鱼、肉这样一些主菜。但是也还需要配上几样小菜或者来个拼盘什么的。没有这些也不行。俗语说：牡丹虽好，也需绿叶扶提。

研究我国的历史，当然要读《二十四史》、《资治通鉴》这些洋洋大观的巨著。但是正史之外的野史、笔记也是治史所必要的补充资料。

鲁迅就很重视野史和笔记的价值。他说史官的书，往往“因为涂饰太厚，废话太多，所以很不容易察出底细来”。“但如看野史和杂记可更

容易了然了，因为他们究竟不必太摆史官的架子”。

用短小精悍的文字来记载片断史料的笔记在我国可谓源远流长，从南朝刘义庆的《世说新语》到清乾隆时纪昀的《阅微草堂笔记》，在这一千多年间先人留下的笔记何止几百种。这是文化史上的一笔重要的遗产。可是令人遗憾的是这种笔记的传统，愈来愈衰落，大有后继无人之势。究其原因，无非是这些小玩意儿不能登大雅之堂，因此不被重视。

现在萧乾同志主编的这套《新编文史笔记丛书》使人耳目一新，颇有重振雄风之意。萧乾同志在他的序言里说：“本着笔记固有的传统，所收各文题材不嫌庞杂。举凡与文史有关的政治、经济、军事、文化、社会等方面，或记闻见杂事，或叙往昔交游，或忆社会百态，均在搜罗之列。”所写都是作者本人的亲闻、亲见、亲历，真实可信。文字力求短小精悍，生动活泼。

这套丛书现已出版的十二册，我都粗粗翻阅一遍，其中有四、五种读得比较细。我以为萧乾同志在序言中提出的要求基本上是做到了。

我对这套书很感兴趣，拿起来就放不下。特别是名人的遗闻轶事很有史料价值。其中有许多是别的史书和传记中见不到的。例如《津门史缀》中有李大钊和白毓昆一文，从前对白毓昆这名字是很生疏的。书里谈到李大钊于1907年到1913年在北洋法政专门学校读书，当时的进步人士白毓昆是史地教员，他对李大钊的思想进

步起了重要的作用。又如张学良在东北讲武堂当学生的一段历史也是没有人写过的。《巴蜀述闻》中关于张大千的轶事，关于何其芳的少年时代都写得很有趣味。《京华风物》中记载齐白石与陈师曾的友谊，特别是陈师曾帮助齐白石改变画风，由工笔画改写意画的过程很使人感动。梅兰芳首次东渡纪实也是一篇好文章。还有回忆溥心畬，记胡适与章士钊笔战等都是很吸引人的题目。《潇湘絮语》有写秋瑾在湖南的那段历史。秋瑾在1895年到湖南，1902年去日本。在这七年中，秋瑾不仅练文，也还练武，每日舞剑、习单刀，又习巫家拳，别的书上很少见过。《八桂香屑录》里有一篇记载何香凝抗战末期在广西生活艰苦，不得不靠卖画度日。像这样的宝贵史料每册都有很多，不可能一一列举。

这套丛书插上新编二字是很有意义的。旧时代的文人写的笔记往往精华与糟粕杂陈。思想上的陈旧自不必说，而且还有许多无聊、庸俗、低级趣味的东西。现在出版的这套丛书插上新编来和它们划清界限是很有必要的。新编的特点是思想性强、格调高，决没有那些污七八糟的东西。

还是用萧乾序言里的话来结束本文。他说：“在选稿标准上，我们坚持史料一定要真，内容要新，既要防止以讹传讹，也力避炒冷饭。”力避炒冷饭这要求是好的，但是偶有一两篇重复的文章也是可以的，可以互相印证。例如《京华风物》中有何思源看望孙敬修一文和孙敬修自己

写的情节(见《我的故事》二百十四页,四川少儿出版社出版)基本相符,这样的重复我以为不算炒冷饭,而是益发使人相信史实的准确。

总之,这是一部别出心裁的好丛书,我愿意郑重地向广大读者推荐。

原载《读书》1992年第9期

读萧乾主编的《新编文史笔记丛书》

严 秀

承萧乾先生见赠由他主编的《新编文史笔记丛书》样书数册,附信命我“评价”。翻读之后,确有一些观感,愿为一述。

乾老以中央文史馆长之尊,出而联合全国三十二个省市文史馆共同编辑此项丛书,大作家做小事,令人钦佩,同时也可使很多作品不致于“头白可期,汗青无日”,即此一项,就为功不小。

这套丛书看来略近于全国各地的“文史资料选辑”,但“选辑”文长,重在“资料”二字;萧编丛书,虽同样冠以“文史”,但重在“笔记”二字。按中国传统,“笔记小说”类,均必须短小而富于文采或叫富于艺术魅力为好。不过此点谈何容易。我国千数百年来,论文字的艺术魅力,管见所及,至今也尚未有逾于产生南朝刘宋时期的《世说新语》一书者。乾老的此项丛书既成于三十二省市众人之手,自不应以此项标准相要求,但求文笔上能做到简洁清新即甚可。我略翻此数册书后,大都朴实无华,且妙文也时有发现,

如《蒋介石继顾孟余长中大》一则，一开首就是这么几句："1943年春，教育部长陈立夫任命蒋中正为中央大学校长，这无异于封建时代的礼部尚书派皇帝作国子祭酒，因蒋早已称为最高当局矣。事属离奇，然亦势所必至。笔者当时……"(见《两浙轶事》。又，"国子祭酒"即"国子监祭酒"，指封建时代的国立皇家大学校长。此外，礼部职权范围实远大于教育部，用礼部作比喻虽不甚确，也无他法了——引者)。记叙朴实，并不有意作讽刺幽默之笔，而于蒋、陈二氏当年之硬行撤换其时主张学术自由的顾孟余校长一事的黔驴技穷、图穷匕见的窘态，实已刻画入微了。鲁迅说过讽刺的生命在于真实这个意思的话，此文极可为证。

总的说来，从已出版的几本书看，这丛书颇以记事见长。一事自数百字至千余字，提供了不少佚史佚事，看一则即有一则的收获，这是它的显著优点。旧笔记如《聊斋志异》、《阅微草堂笔记》等，虽也一文一事，文章也相当不错，但究竟多属同一类型，多了即见枯燥，不若萧编"笔记丛书"之多样化与现实化。此又为此项丛书之另一优点。处今之日，光看谈狐说鬼的笔记小说，消遣、欣赏则有之，于益智则似关系不太大。所以，我觉得萧编丛书是很值得一读的。

本丛书的种种纪事确大有可读之处，例如，在《中州轶闻》册的《陈果夫兄弟与黄河》一则中，即发现1938年夏炸毁河南境内花园口黄河堤防大惨案一事，是出于陈果夫先生向蒋的书

面建议，蒋氏竟当即首肯，批示“随时可以决水反攻”，并命“电程长官核办”，则此一公案又更加核实了。又如，开封相国寺大雄宝殿内有一匾额，是乾隆御书，但长期只有“古汴名”三个字，第四个字不知飞向何处去了，观者咸感莫名其妙。原来这是慈禧太后干的好事。她于1900年八国联军占领北京逃往西安，第二年等卖国条约签订后溜回北京时，特往开封随喜大相国寺，见了乾隆题的“古汴名蓝”匾额，就大为不悦，这时什么“祖宗成法”也不顾了，便命令方丈涂去“蓝”字。以后竟达二十余年之久，无人过问此事。本世纪二十年代中，冯玉祥先生主河南省军政时，才将“蓝”字补上。冯先生每喜干快人快事，此其一小宗耳。按，蓝，当指“伽蓝”，音译，泛指佛寺。乾隆略“伽蓝”为“蓝”，已属不伦；而慈禧竟妄去“蓝”字，其横暴恣睢，更非人们所能料及。据说，这是由于“老佛爷”小名“兰”之故。这样一个恣肆无知的妖妇，在清末统治中国竟达五十年之久，专制制度之罪大恶极，还有什么可夸赞的呢！在《两浙轶事》一册中，有《载湉之死》一则。载湉即光绪帝，死于旧历戊申年(1908年)10月20日。此文主要为保存罕见资料，因而大量节录了当时浙江巡抚保荐入京为皇帝治病的名医杜钟骏的私人手记，十分有趣。原来宫中陈例，凡御医为皇帝“请脉”处方，必须一日一医，且不得互相商量。如此“保安”措施，实为太岁催命。与杜医同时进宫的名医共六人，开始只能如法炮制，均感束手。所幸俱住宫外，尚能交谈，咸

谓如此下去，光绪自然速死，众医也将身殉。数医屡请改变成例，不准；欲看旧医药方，又不准。不得已，直问光绪服过些什么药，众医闻之大惊，盖诸般杂药，无所不服也。众医终于又请准得阅旧药方二百余张（可能是光绪本人核准的），见互相攻克之药无所不服，便知光绪的命已无法挽救了。作者于此缀写感想一节，大要谓光绪皇帝实为“日必易医，医必易方”之皇宫恶例所“杀死”，又谓“记中叙光绪病历颇详，似不至若世所传出死于鸩毒。惟光绪16日尚召见臣工，又非急病，何20日即奄然而逝，则杜氏叙述虽详，宫闱事秘，要不能无疑也”。读此文，得知清廷之腐败竟至于此，实非人们所能想象。其次，也可看出坚持老例、绝不肯改革的人是何等愚昧可笑，凡不愿与之同归于尽的人，当然就不能跟着他们去走死路了。（顺便说一句，天天吹嘘“宫廷秘方”的人，看了此例当作何感想？）

原载《瞭望》第33期，1992年8月17日

笔记小品的继往开来之作

——读《新编文史笔记丛书》

梦 梅

每个人的读书取向不同。大体上说，年轻人喜读诗歌、小说，中老年爱看历史著作和笔记小品，这似乎是一种普遍现象。

我从四十岁以后开始接触笔记，二十余年来，读过的明清两代笔记近百种。若问为什么对笔记情有独钟？我也说不清楚，大概与这种文体特别适合我的阅读兴趣有关。笔记的特点是，形式短小，内容实际，文字精炼，题材广泛。一卷在手，随心所欲地读上几段，就会有实实在在的思想收获，既没有捧着巨著担心读不完的精神负担，却有“北窗高卧读闲书”的乐趣。足见这种文体是我国优秀传统文化中的一种创造，是绝对不能让它萎缩、中断和消亡的。

非常高兴地看到，最近上海书店出版一套由萧乾主编的《新编文史笔记丛书》，第一辑十二册，分别由京、津、沪、粤、桂、闽、浙、蜀、陕、湘、豫、内蒙古这十二个省市的著名人士和文史馆员撰写而成，内容包括政坛风云、宫闱秘事、革命史实、文苑趣闻、社会世态、民间风情，每篇

仅几百字，娓娓而谈，不加夸饰，而提供的史料，都是正史所不载，却又是作者亲见亲闻亲历的第一手材料。例如上海市文史研究馆编的《海上春秋》那一册，就有一组文章透露蒋介石的发迹内幕和生活秘闻，还有陈独秀、瞿秋白、恽代英的片断掠影，鲁迅、茅盾、郁达夫、梅兰芳的点滴掌故，以及上海“十里洋场”的种种奇闻怪事，总之，五花八门，洋洋大观，都可以补一般历史著作和传记材料的不足，加深对这些历史现象和历史人物的了解。这套丛书的另一个特点是开本小，图文并茂，装帧精美，可以放在口袋里携带出门，作为旅途伴侣，也可以在茶余饭后，随意翻阅，作为放松业余生活的消遣手段。

噫，大千世界是如此丰富多采，斑驳陆离！就拿近现代中国历史来说，拿曾经是万商云集的国际大都市上海来说，这中间可歌可泣、可叹可恨、可豪情满怀、可捧腹大笑的事情何止千千万万，即使罄南山之竹也难尽书，而很多重大历史事件的当事人和知情人，有的都还健在，有的虽然因年老而不能著作，但写这种笔记小品，追忆笔录，却还是胜任的。所以我认为上海书店出这套丛书(分四辑，共五十册，约六千余篇、五百多万字)，是出版界的一件大事新事，应该以此为契机，把我国的笔记传统继承下来，开创一个辉煌的新局面。

原载《解放日报》1992 年 7 月 25 日

一套史料真内容新的好丛书

——夸夸《新编文史笔记丛书》

符家钦

每个人读书都不免有偏爱。我从小就喜欢读笔记小品,原因在于这种书篇幅短,读来却清新隽永。三十年代赶上上海大印古书,书价一折八扣,一两角钱能买一本,非常便宜。(不像今天我辈写书的人却买不起书!)记得当时我买得最多的就是《阅微草堂笔记》、《夜谭随录》一类笔记。在当今出版界竞相出版丛书的热潮中,中央文史馆推出一套《新编文史笔记丛书》,我认为也是独具特色的笔记佳作。

这套书由作家萧乾主编, 收录全国三十二个文史馆几百位馆员根据他们亲闻、亲见、亲历写成的掌故,自然都是珍贵的第一手史料,可以补正史的偏颇和不足。丛书收集了几百位文史老人的笔记六千余篇, 写了半个多世纪以来的名人轶事。许多篇读后的确发人深思, 给人启迪。谈谈我读了《京华风物》后的一点读后感吧,看看它给了我多大的启示。

《京华风物》涉及的人物有章太炎、鲁迅、章士钊、胡适等几十位文化名人,执笔者又多是名

人后裔，更增加了史料的可信程度。这里只说说三个人，看看“文史笔记”怎样恢复了这些人的本来面目。

先说章士钊(1881—1976)。他是中央文史馆第一任馆长。然而读过《鲁迅全集》的人，只知道他被定性为复古主义者。在1925年北平女师大学潮中，章任教育总长。他因站在杨荫榆一方，作为学生爱国运动的对立面，受到鲁迅奚落批判，从此落下骂名。《鲁迅全集·华盖集》中有十几条注释，都是对他大张挞伐。虽然注的末尾也指出他“后来思想上、政治上有变化，转而同情革命”，但到底怎么“变化”，如何“同情”，没有一点史实。因而在一般读者心目中，他只是个逆潮流而动的人。

这得感谢文史馆的指引。我在湖南省文史馆的“文史拾遗”中读到一篇文章，知道毛泽东为筹集赴法勤工俭学资金时去找过章，章慨然捐出了两万多银元，充当革命活动经费。其中毛也分到几千元，直到建国后毛泽东主席才还清这笔债。从这件事可以看出，单凭《鲁迅全集》一家之言就对某人盖棺论定，必然“倘有取舍，必非全人；一有抑扬，更离真实”，跟史料要“真”的要求就更远了。

同样的人物还有杨荫榆。在1925年北师大学运中她是校长，自然受到鲁迅、许广平师生群起而攻之，因而蒙上“性情刚愎、专横严厉，迫害进步学生”的恶名。她真是这样一个人吗？读了《京华风物》中《杨荫榆之死》，我对她肃然起敬，

原来她牺牲得十分惨烈。抗战时期她隐居苏州，日军因她留学日本，懂日语，屡次邀她出山为日本帮凶。她破口大骂，最后被日军推入河中，中数弹殒命。这样保全晚节，在中国妇女中也算难能可贵了。

第三位是鲁迅原配夫人朱安。她的悲剧一生很多人都写过。1906 年朱安女士和鲁迅成婚后，由于婚姻出自父母包办，两人间并无爱情，使朱安守了一辈子活寡。鲁迅去世后，老母和朱安靠许广平寄款，维持日用。《京华风物》在《鲁迅·鲁母·鲁夫人》中写了这个情节，但只说朱安临终前还致函许广平说："您对我的关照使我终生难忘。"我愿在这里再补充一件轶事。鲁迅弟子孙伏园曾对我讲起朱安一件事，即抗战胜利后，国民党中宣部长张道藩为了沽名钓誉，假惺惺跑到鲁迅故居，想送一笔巨款补贴朱安家用(老太太已于 1943 年去世，剩下朱一个人)，不料这位乡下妇女婉言谢绝了，说："有许广平先生接济，不劳政府操心。"贫贱不移，这样的人恐怕也只能在中华儿女中才能找到。

不过，我也想指出两点，一是笔记也要求简约，不能兼容并包。最好集中写知名人士(包括正负两方面的人)，写他们的功德言行。像三教九流、北京当铺、嫁娶礼仪、民间风俗等，可以写，但可编入专集，或纳入地方志。

其次是，写人，特别是正面人物，要写透。靠一鳞半爪写一个人，最费功夫。我是四川人，读了《巴蜀述闻》总觉得，写蜀人幽默讽刺的不提

刘师亮的《谐稿》(他的“一块银元钢、哑、假;三个怪物邓、田、刘”多么被四川老百姓津津乐道。第一句说当时盛行假银元,即钢版、哑版、假版,都是伪劣币),写诗人吴芳吉的不提他脍炙人口的《婉容词》、《护国岩》,就算没有写透。

但总的来说,这套“史料真、内容新”的好书对当前弘扬中国文化、开展国情教育不失为一种好教材,特别值得向青年读者推荐,让这些青年对中国文化的内涵,增加一点了解,少一些民族虚无主义,不数典忘祖。

原载《团结报》1992年8月19日

我爱读笔记

舒 湮

中央文史馆最近编印的《新编文史笔记丛书》(上海书店出版)第一辑十二册已经问世。仅从分册的书名看,就诗意盎然,《京华风物》、《津门史缀》、《海上春秋》、《秦中旧事》、《中州轶闻》、《两浙轶事》、《巴蜀述闻》、《潇湘絮语》、《闽海过帆》、《穹庐谭故》、《八桂香屑录》、《粤海挥麈录》,命题无一雷同,俱见匠心独运。从来,笔记文学是一个重要的品种,但近年来似乎"断档"了。这套丛书正可以继未竟之绪。

野史札记是为正史拾遗补阙。本丛书讲究笔者的亲历、亲见、亲闻,力戒道听途说,大都真实可信。题材包罗万象,言简意赅,而风味有异,或鲜美若福州的佛寿金、自流井的怪味坛子肉,或清淡如白油冬笋、冬菇菜心。读者忙中可以偷闲披览,老人精神、目力不济,可以随阅随辍。然而,间或也有两篇达四五千字的长文,如张宗祥的《载湉之死》和崔显昌的《旧成都茶馆》,也有如周采泉的《王福厂刻印绝技》,仅八十字,而一般都属"千字文"。打个未必恰当的譬喻,这里既可整桌包席,也可零拆碗菜,丰俭听便,大小由之。偷闲,围炉夜读,可以驱寒;枕簟把卷,可以

祛暑。

丛书主编萧乾兄切嘱我撰文介绍，当时手头仅有三册，未窥全貌，率尔命笔，岂非盲人摸象？因从老画师秦岭云处借得全书。我在赴五台山的旅途中，一气浏览了数册，欲罢不能，了无倦意。归来，又将其余一一阅竟，至今掩卷犹有余味，可谓近月一件大惬意事。

书中掌故日后必能传世。如《国民政府迁洛琐记》备载洛阳作为陪都时中枢党政机关驻地，可当《洛阳伽蓝记》读。少林寺毁于石友三的炮击，当时妙兴方丈被迫率僧众千人逃避广东，因而流落港、澳的拳师，多为寺僧。洛阳的水席，如今几濒失传了，日后岂不也成"宋嫂鱼"？张泠僧的长文，屡述光绪病况，而读之不厌其长。光绪久病不愈，下诏征各省名医入京会诊，浙抚以杜仲骏荐。杜著有《德宗请脉记》详其事。成都旧时二百多条街，有四百多家茶馆，是全国之冠。《旧成都茶馆》一文叙述茶馆故事，娓娓动人，不是老茶客是说不出的。类似这样鲜为人知的事情，这部丛书摭拾即是。

读完十二本笔记后，我有个感想：就是论人谈事常散见各册，使人觉得头绪多出，不能贯串一气。如写孙中山有十七篇，分布京、津、蜀、湘、粤、桂各集。写蒋介石计二十一篇，散见沪、浙、蜀、豫、闽、桂各卷。写冯玉祥亦十七篇，散见津、豫、陕、蜀、浙、桂、内蒙古各帙。其余如康有为、章太炎、鲁迅、胡适、郭沫若、张大千以及吴佩孚、张作霖、张学良，都分散各册，似有集中必

要。当然，这是出于书由各省市文史馆分别组稿结集的。我希望将来能出版汇编，打破畛域，再度筛选，重新分门别类，按照时序、事别、人物分栏。这样或更便利读者对事对人有个完整的印象。

原载《北京晚报》1993 年 1 月 12 日

不说不知道

——读《新编文史笔记丛书》

绿　原

早听说全国文史研究馆要出一套《新编文史笔记丛书》,听说而已,最近承主编惠赠头三种,才使我大开眼界。那三种是广东卷《粤海挥麈录》、内蒙古卷《穹庐谭故》和上海卷《海上春秋》,其他各种据说将陆续问世。

馆长兼主编萧乾先生在卷首有一篇精采的"序",其中有云,"我们希望这些以亲闻、亲见、亲历为主的轶事掌故、琐闻杂记,写人、事而摒除误会曲解,述历史而符合真实面目";又云,"作为一种短隽有味,文字清奇而又雅俗共赏的文学体裁,笔记在中国具有悠久的传统。……然而,近年来笔记乏人问津。因此,我们出这一套书,也包含着挽回颓势之意。"

这几句话真说得令人垂涎欲滴。

中国的笔记在文学史上虽说不起眼,比起外国的同类如速写、素描、试笔、语录等,似乎要更随和,更圆熟,更贴近人生,可惜一直自生自灭,得不到应有的提倡和发展。慨自"五四"以来,在新文学家笔下,可谓百废俱兴,唯独笔记

这个品种，也许由于近史而远文，缺少文学的本体性或者作家的主体性，多少年来岂止“乏人问津”，简直被人们忘得一干二净。只有少数有心人偶尔惘然叹道，几时才能读到短隽、清奇、平易、具体、本事离我们不太远、人生观同我们的档次差不多、多少有助于学习知人论世或者见微知著、扯家常式的新式《世说新语》呢？

想不到今天果然有了这一套《新编文史笔记丛书》，题材不嫌庞杂，涉及政治、经济、军事、文化、社会各方面，却都是作者所亲闻亲见亲历，因而也是读多了正史的读者所乐闻乐知乐谈的、不说不知道因此不说很可惜的人和事。单举《粤海挥麈录》中的几篇为例——《孙中山和张竞生》、《张竞生的〈民需论〉》、《张竞生提倡计划生育》，以及张先生本人写的《南北议和》这几篇，一下子纠正了我和很多人的一个老大的误解。从三十年代起，就听说中国出过一部《性史》，那可是一部“坏书”，书没读到过，作者的名字却早知道，正是张竞生博士；此后读到有关他的两句评语：“开设美的书店，宣扬色情文化”，简直认为是理所当然，从而深信不疑。到今天才看见了硬币的背面，正是从这几篇笔记得知：一、张先生原来是孙中山先生的追随者，曾经为革命党向孙先生送过重要情报和经费，曾经与汪精卫等人合谋行刺过摄政王，事败后还设法营救过汪精卫；民国成立后，国民政府派遣革命青年出国留学，张先生就是其中之一。二、张先生两度留法，根据卢梭的《民约论》，提出过自己

的《民需论》的政治观点，主张“三需”的民主，即需要生存权、教育权和艺术权的民主等等，足见他是一位随着时代进步的爱国人士。三、张先生怀着匡时救国之心，二十年代由法返国，曾向广东省长兼督军陈炯明条陈倡议计划生育，略谓一国强盛不在人口数量，而在人口质量，必须提倡晚婚，晚育，少生，优生，一对夫妇至多只准生两个子女，超生者受罚，并请先从广东做起，然后推广全国——这个主张比起马寅初先生的真知灼见和我国的计划生育国策，须知早了几十年以至半个世纪。像这样一位有胆有识的爱国进步人士，竟在“性史专家”的恶谥下被埋没这许久。今天才了解事实真相的读者，谁都会同时感觉这几篇小笔记的意义和分量。此外，本卷的《孙中山反对称“万岁”》、《孙中山之恕人度量》，上海卷的《章太炎巧遇蒋介石》、《吴佩孚抵死不肯当汉奸》，内蒙古卷的《冯玉祥恤老》、《冯玉祥开穷人饭店》等，也都是发人深省、值得大书特书的嘉言、懿行。这些珍贵的史料正如鲁迅所说，“不必太摆史官的架子”，或者说“不像正史那样地装腔作势”，它们反倒会帮助读者更深刻地接触历史的真实本身。

说到这里，不禁想起“文革”十年的干校后期，每晚吃饱了没人管，便坐在一起闲聊，聊每人自己那段说不完的经历，聊一肚皮亲闻亲见或亲历的真人真事，中间不知有谁说了：“咱们每天聊的可都是当代的珍闻奇谈，让它们湮灭下去实在可惜，何不用笔记体记录下来，不忌

讳，不渲染，不评议，不解释，只把不说不知道的本事照直写出来，肯定会受到后人的感谢。”当下一致响应，似乎准备马上动手，虽然明知是穷开心。今天读到这一套《新编文史笔记丛书》，日益懂得“世事洞明皆学问，人情练达即文章”，像张竞生先生那样，或者与张先生的遭际恰巧相反，值得恢复一下本来面目的人和事实在不知凡几，干校那个想法在新形势下未尝不可以认真考虑一下。

因此，衷心祝愿这套笔记丛书编下去，出下去，编好它，出好它。“自清末以迄1949年为止”固然可写，1949年以后同样也可以写，说不清更值得写。不过，主编规定的取材时间的跨度是经过斟酌的，这个建议也许提得有嫌过早，且待将来有机会再说也罢。

原载《今晚报》1992年9月14日

介绍《潇湘絮语》

钟叔河

笔记文未必是中国独有的文体，但是以广泛记录政治掌故、社会趣闻、文坛佚事为主要内容的“文史笔记”，似乎却是中国的特产。它的特点是首先注重史的价值，当然也应该不乏文的趣味，这就与西洋东洋主要文学作品的笔记文(随笔文、小品文)不同了。

我是文史笔记的爱读者。知堂“野记偏多言外意”一联，常常引起我的沉思。最近高兴地收到了萧乾先生寄下的《新编文史笔记丛书》第一辑若干种，据说第二辑又将出版，预计五年之内，可以出书四辑五十种，蔚为大观。

萧乾先生是这套笔记丛书的主编，以中央文史馆长来主编这套由全国各省市文史馆联合编辑成书的丛书，至为得当。现在全国文史馆有数千人，其中不乏熟谙文史、饱尝世味的宿学耆老，他们只要还能写，还愿写，都是文史笔记最适宜的作者。

萧先生寄我的若干种新刊笔记，我先读的是湖南省文史馆编辑的《潇湘絮语》一册。因为我是湖南人，一生不离湖南，先父钟昌言(佩箴)建国初期即受聘为省文史馆员（1966 年去世得

年九十岁),所以这是十分自然的。

《潇湘絮语》的编辑颇有匠心,二百面不厚的一册,收笔记一百三十余则,好就好在一个短字。而分门别类,却包含了"政海云波"、"人物拾遗"、"文坛逸事"、"文教春秋"、"剧艺鳞爪"、"三湘揽胜"、"民间习俗"、"民族风情"、"饮食起居"、"湖湘一绝"等十门,真是面面俱到,又称得上一个杂字。既短又杂,笔记文的特色大略可见。见此书之可读性,尤在能通过许许多多侧面、片断,反映出晚清、北洋、民国各个历史时期的时代风云。如《黄兴爱吃长沙寒菌面》一则,据黄兴长子黄一欧所说,信而有征,且进而考证出,1904 年华兴会事发,黄兴从紫东园家中出逃的确切日期是 10 月 24 日,正是寒菌上市,寒菌面当令之时,克强先生是在吃寒菌面时逃脱清吏搜捕的。

《潇湘絮语》的作者和文字颇多擅场,如向一学的《记符保卢之死》,杜修嗣的《马连良练气功》,吴继刚的《吴獬赠联吴佩孚》等。向一学名为霖,我的同邑人,其尊人即早期武侠小说名家平江不肖生,与先父留东同学,向和符保卢同在旧时空军服务,符之死为向所亲见。杜修嗣为湖南著名豪侠杜心武之子,杜大侠与梨园中人交谊之笃,尽人皆知。吴继刚则为临湖才子吴獬之孙。

我所喜欢的,还有《岳麓名联》一则。毛泽东重游岳麓,问及"西南云气来衡岳,日夜江声下洞庭"这首名联的来历,人皆不知,作者却能稽

古钩沉，娓娓道出。《科举考生之苦乐》，把名士曾重伯、吴凤荪、魏侯屏考棚吃粥故事，写得活生活现。《诗牌》之事，报刊不止一见，而从郭嵩焘日记中引出，应是博弈史的重要史料。尤其是老友俞润泉所述"马明德堂"卤锅及其先人所创"德字香干"，真是"湖湘一绝"。俞君从小好吃有名，晚年荣任文史馆员，以出味之文笔叙说有味之名物，使我这"不懂味"的人也不禁垂涎三尺矣。

原载《文汇读书周报》1992 年 8 月 29 日

文史笔记的新猷

曾敏之

台湾著名的历史小说家高阳写了三十多年的历史小说,他虽然油尽灯枯而辞世,可是他的历史小说数十部却成传世之作,而所择人物、题材信而有征,他自认得力于正史之外的稗官野史、笔记札记的真实史料来参证,所以他是博学多闻,精于文史考证的。

说到文史,我们不能不推崇历史长河中见于著述的文史笔记的成就,那是二十四史以外的骊珠,值得探求,值得存真以揭出历史的真相。

正因为文史笔记的价值与意义,中央文史研究馆特具慧眼,集全国各地对文史有研究的专家、学者、作家、耆老、社会人士……把他们的见闻,不论是亲历、亲见或摭拾所得,属于文史的轶事掌故、琐闻杂记都加以笔录,成为《新编文史笔记丛书》而出版,构成一套宏伟可观的、超越历史局限的丛书,真是魄力非凡,益世匪浅。

担任这套丛书主编的萧乾兄以精辟的见解阐述笔记优点,他认为:“读书界向来对野史有所偏爱。野史大多是信手拈来的历史片断,且往

往出自亲历者之手。文直事核,不虚美,不隐恶,而文笔潇洒自如,意味隽永,自然朴实,篇幅不长;可以摊开来仔细咀嚼,也可供茶余酒后、行旅倥偬中,随手浏览。”

因此这套《新编文史笔记丛书》,将以近代史、现代史为撰写内容,时间跨越清末以迄1949年,因为这段历史进程“正是中华民族从闭关自守到走向世界,从落后羸弱到奋发图强,是天翻地覆、风起云涌的大半个世纪。其间,发生过多少可歌可泣的事迹,涌现过多少杰出的人物。以这一时间跨度为背景题材写出的笔记作品,必然是内容最为丰厚的”。

可见,《新编文史笔记丛书》非同凡响。

也许有人有疑问:“文史笔记篇幅短小,其能反映历史事迹、人物风貌吗?”

我认为毫无疑问,可以胜任,如史家的秉笔,不妨引古证今,考察一下古代文史笔记的价值。

试看宋明的笔记作品——

《梦溪笔谈》是北宋沈括的杰作,全书二十六卷,分为故事、乐律、象数、艺文、技艺、器用、药议十七类,他以渊博多能掌握了丰富的资料,还发挥了独到的见解,反映出十一世纪时中华民族在科技上的成就。英国李约瑟的巨著《中国科学技术史》也对之大加引用及赞扬。

《侯鲭录》是北宋赵令畤所撰,内容八卷多记载琐闻杂事,是很有趣的笔记作品。

《老学庵笔记》,是南宋大诗人陆游所作,共

十卷,记载的是遗闻轶事,并采民间传说。其中记秦桧杀岳飞,临安(今杭州)人民闻而痛哭,是正史所没有的。陆游曾游川幕,笔记中也记载蜀中风俗,文笔生动,叙事简明,是笔记中的优秀作品。

《东京梦华录》,是南宋孟元老所撰,记汴京城市风貌、岁时物产、城市经济和市民生活,具有史料价值。

至于明代张岱写的《陶庵梦忆》、《西湖梦寻》,描述杭州风物,记载市民生活、民间曲艺资料,寄托故国之思,眷恋乡土之情,文笔隽永清丽,成为晚明笔记散文的精品。

……

略举明清几部文史笔记,可证明文采史迹都灿然驰名于文苑,也正如鲁迅对野史的评价。他指出:"历史上都写着中国的灵魂,指示着将来的命运,只因为涂饰太厚,废话太多,所以很不容易察出底细来。正如通过密叶投射在莓苔上面的月光,只看见点点碎影。但如看野史和杂记,可更容易了然了,因为他们究竟不必太摆史官的架子。"(见《华盖集·忽然想到》)

《新编文史笔记丛书》已分册出版了,以存真求实为编纂宗旨,可以预见,这套丛书一定为海内外读者所欢迎,一定不胫而走的。

原载香港《大公报》

编后絮语

面对这已经出版的五十卷、五百万字、六千余篇的《新编文史笔记丛书》,有一种如释重负的感觉。

1989年夏天,我在巴黎住了两个半月。办公室的同志写信告诉我,中央文史研究馆萧乾馆长、吴空副馆长来过几次电话,问我什么时候返沪。秋天一回到上海,我就与萧、吴两位馆长联系。中央文史研究馆的两位领导在电话中说,可否考虑联合全国各省市文史馆,发挥现有二千多位馆员的力量,办件什么事情。他们想叫我去一趟北京,议论一下。刚从国外回来,手头有一堆事要办,一时脱不开身。但对两位馆长出的题目,也未敢掉以轻心,一直在思考怎样交上一份答卷。全国那么多馆员,不仅都是知识渊博的学者名士,而且可谓历尽沧桑、阅历丰富,是近现代史的见证人。还有一大批馆员,生前留下了不少亲见亲历的史料。怎样为这种优势找到一

个“载体”,是我考虑的出发点。12月6日,我乘火车赴京。京沪软席直达车是个极为安静的场所,上了车,17个小时,完全可由自己支配,既不会有人来干扰,也毋需去处理日常工作上的事情。入晚,我一面把考虑的几个方案反复比较,一面翻阅着几本随手从家中书架上取下的书作为消遣。这几本书都是笔记:《西京杂记》、《老学庵笔记》、《阅微草堂笔记》、《十驾斋养新录》。人的思绪有时会呈现一种凝结状态,想不出一个好点子,有时又会出现一种跳跃状态,闪出一个两个新的意念。翻翻这些古人的笔记,忽然想:何不编写一套文史笔记呢!思路的闸门一开,关于这套笔记的宗旨、范围、规模、编写体例、出版发行、经费筹措等,好像都理出了一个头绪,有了一个明晰的章法。丛书名称想了好几个:文史笔记丛书、野史笔记丛书、旧闻闲话丛书、野史实录、野史掇拾。火车上的这一晚上,觉得十分舒坦,连隆隆的车轮声也像有节奏的乐曲那样悦耳。

12月7日上午到京,吴空同志告诉我,萧乾馆长明天要参加全国政协常委会,9日上午才有时间碰头。利用7日一天时间,写了一份设想,8日早晨交给吴空同志。吴空同志处事一向麻利迅速,当天就交萧馆长审阅,当天就打印成文,作为讨论稿。9日上午,中央文史研究馆萧乾馆长,启功副馆长和吴空副馆长,京、津、沪三馆的馆长,在中央馆碰头、议论,大家一致同意编一套文史笔记,并补充了不少细则。会上,议

论到编辑部一事。在我起草的设想中，建议设立一个编辑部，处理丛书的编辑业务工作，编辑部设在中央文史研究馆。萧馆长改为设在上海市文史研究馆。吴空同志在打印稿上，暂时删去了这一句。现在萧馆长又重提这个问题，并坚持设在上海市文史研究馆。我觉得担子不轻，工作不好会有负众望，但看到中央馆三位馆长意见恳挚一致，不好违悖他们的期望，只能勉强答应。

今天，当看到齐齐整整五十卷丛书终于出齐时，很自然会产生本文开头所说的如释重负的感觉。

1990年春，我们在中央馆的领导下，组成了一个编辑筹备班子，作具体规划。与此同时，我找到上海书店俞子林经理，商谈出版事宜。上海书店是一家出版和销售文史著作的专业机构，曾影印过不少明清笔记类图书。当俞经理知道由萧乾馆长担任主编，全国文史馆共同参加撰写这套笔记时，一口答应承担出版工作，并请副编审刘华庭同志担任责任编辑。

吴空同志为这套笔记丛书付出了极大的精力。他又是位思虑周密、作风细致的领导。1989年底，他即广泛征求各省市文史馆馆长的意见；1990年3月下旬，又邀集刚组建的《笔记》编辑部、上海书店刘华庭同志和中央文史研究馆馆员、紫禁城出版社编审刘北汜同志、河南省文史研究馆馆长魏玉林、馆员王华农、王质彬，一起到开封作调查研究。河南省文史研究馆在“文革”前设在开封，当“文革”中各省市文史馆都遭

到“砸烂”、“扫地出门”时，独有河南省文史馆未遭此厄运。原因是省级机关造反派对在开封的文史馆或者是疏忽大意，或者是不屑一顾，未打上门去；开封市的造反派又认为这事应由省里人来管。因此这一批文史资料、图书原封不动地保存了下来。我们在开封阅读了全部资料，并着手摘编、改写了二十四篇稿件(共一万多字，每篇平均在五百字以下)，开了两次讨论会。会上大家认为笔记应提倡写短文，写千字文，笔记内容要广、杂，材料要信(真实可靠)、雅(文字流畅)；笔记所写内容的时间上限可推到晚清甚至更早等等。上海书店刘华庭同志建议在“文史笔记丛书”前加“新编”二字，以区别旧笔记。这个主张得到了一致赞同。

1990年6月，中央文史研究馆在上海召开文史笔记丛书编辑工作座谈会，统一认识，协同步调，落实编写计划。北京、天津、陕西、江苏、福建、河南、湖北、广东、广西、四川、贵州、上海、浙江、湖南、安徽、武汉等十六个省市文史馆参加，其中，大部分馆承担第一辑十二卷的编写任务。会上，萧乾馆长作了关于写短文的讲话。他说：“好的短文犹如上海的小笼包子，要皮薄、馅儿大、有油水，不要皮厚、馅儿少，即是说尽量要在小题目下做大文章，反映大事物，不要在大题目下做小文章。”“写短文，要焦点化，写人叙事，那就犹如在指头大小的象牙上从事微雕，非精不可。”这极形象化的议论，以后成了编写笔记稿的“座右铭”，摆脱了写史料非要“起、承、转、

合”,下笔几千言的公式旧窠。现在大家看到的六千余篇笔记,大多在千字以下,开创了写短文的好风气。

从上海会议以后,中央文史研究馆设立《笔记》办公室,负责《笔记》的统筹、协调、研究工作。傅春然、陈思娣、陈文英、李宇凡等同志参与办公室工作。上海市文史研究馆设立《笔记》编辑部,编辑部主任由上海市文史研究馆馆员赵而昌同志担任,参加编辑部工作的有叶广成、邝佩连、沈飞德、解白桦、谢震林、徐建恒、秦明章等同志。

从1990年6月《笔记》编写工作正式启动开始,第一辑十二卷于1992年6月推向社会,第二、三、四辑分别于1993年7月、1994年6月、1994年10月出版,前后历时四年四个月。从一个文化工程角度说,时间不算太久。所以说它是一个文化工程,因为仅撰写六千余篇史料的作者就近四千人,有这么多人齐心合力地完成一个共同的工作,可算得上是个大工程。三十二个文史研究馆的馆长,一般都担任各册主编,实际操作,多次召开座谈会,挖掘史料,审读全部稿件,并进行认真的加工,为这一文化工程打下了坚实的基础。每一卷都是从两倍、三倍甚至更多的稿件中精心筛选编成的,目前仍有不少史料留在手头。刘北汜、蒋路、赵守俨、谢云、赵而昌、解树民、富寿荪、姚以恩等八位特约编审,都是有几十年编辑工作经验的专家、学者,为保证丛书的质量作出了贡献。编辑部主任先是由

赵而昌同志担任。他是位资深古籍老编辑,编辑笔记类图书,可说是驾轻就熟。编辑部的计划、笔记试编本《掌故今话》的编辑工作,以及《掌故今话》编辑出版过程中经验教训的小结,均出于他的手。赵而昌同志是清末著名篆刻家、书画家赵之谦的后裔,这几年正在为先人撰写年谱,为"赵之谦纪念馆"寻找馆址,落实资金、收集展出资料、求人题词,不断在沪、杭、绍之间奔波,忙不过来。1991年3月起,编辑部主任一职,乃改请上海市文史馆馆员姚以恩同志担任。他是位翻译家,又擅长编审书稿,曾参与多种书刊及《列宁全集》第二版的编辑、译校工作,并受到嘉奖。他从接手丛书工作起,全力以赴,几年如一日,不分昼夜。工作细致,一丝不苟,且记忆力惊人,一本稿件中涉及到的史实、数字,人名、地名,均成百上千,但凡有前后不一致或矛盾之处,他常能一一剔出、鉴别、改正。丛书的大部分稿件均经过他的双手双眼"过滤",对丛书的质量有特殊的贡献。编辑部副主任邝佩连同志承担了大量编辑事务,包括通讯联络、发稿、印刷、出版各个环节之间的协调等工作,是一位出色的"后勤部长"。

这套《新编文史笔记丛书》还在刚起步时,就受到了香港、台湾两家商务印书馆的青睐。香港商务印书馆陈万雄总经理、台湾商务印书馆张连生总经理,都是吴空和我的老朋友,他们竭力支持出版港台版,并向海外发行。港台版《近现代新笔记丛书》,第一辑八卷于1992年9月

出版，第二辑八卷也即将推出。

上海书店俞子林同志、刘华庭同志认为这套五百万言的笔记，史料翔实，言微旨远，难能可贵。为方便文学界、史学界查考、研究，决定增加一卷《索引》并亲自从事编辑工作。他们嘱我为《索引》写几句话。这篇"编后絮语"，只是想为这套笔记的缘起、编辑活动记下一些一鳞半爪、零零碎碎的材料。至于对这五十卷笔记怎么评论，也像所有的书籍一样，经过一段时间的冲刷，有的书是昙花一现，有的却随着时间的推移而益发显出它的生命力，这得由社会、历史来回答。

王国忠　1994 年 10 月